AGNÈ

Née en 1972, Agnès … me.
Elle a commencé à é… l'un de
ses trois enfants, at… eucémie, pour
renouer avec les bonhe… iples de la vie. Son
premier roman, *Marie d'en haut*, qui a paru aux
éditions Les Nouveaux Auteurs en 2011, est une
bouffée d'espoir pour ses lecteurs.

MARIE D'EN HAUT

Très beau
livre Marie !
Régale-toi ...
avec toute mon
affection
Martine

AGNÈS LEDIG

MARIE D'EN HAUT

LES NOUVEAUX AUTEURS

Pocket, une marque d'Univers Poche,
est un éditeur qui s'engage pour la
préservation de son environnement et
qui utilise du papier fabriqué à partir
de bois provenant de forêts gérées de
manière responsable.

ISBN : 978-2-266-22606-6

À mon Nathanaël d'en haut,
petite étoile scintillante dans l'immensité céleste,
à Benjamin et Apolline, mes enfants d'ici-bas.

Les enfants, c'est la vie…

Un éclair… puis la nuit ! Fugitive beauté,
Dont le regard m'a fait soudainement renaître,
Ne te verrai-je plus que dans l'éternité ?

Ailleurs, bien loin d'ici ! Trop tard ! Jamais peut-être !
Car j'ignore où tu fuis, tu ne sais où je vais,
Ô toi que j'eusse aimée, ô toi qui le savais !

Charles Baudelaire
Les Fleurs du Mal – 1857

1

Vous n'allez pas m'aimer.

Il y a de quoi. Je suis flic, seul et antipathique. Seul, mais en permanence accompagné de mon ange immaculé sur l'épaule droite, qui me saoule avec ses bondieuseries et ses bonnes manières, me suggérant que je pourrais être plus engageant, un peu chaleureux et un minimum courtois, et mon diable écarlate qui le contredit sur l'autre épaule et dans tous les cas, me susurrant à l'oreille que j'ai bien raison d'être un sale type, que les autres ne méritent pas mieux que mes yeux durs et mes aboiements. Œil pour œil, dent pour dent, la vie. Il serait plus simple de me débarrasser de l'un d'eux. N'importe lequel, pourvu qu'ils arrêtent de se chamailler. J'en ai mal au crâne.

À en croire mes résultats scolaires et mes ébats primaires, je ne suis ni intellectuellement bête ni physiquement repoussant, mais je n'ai pas envie d'être gentil.

Flic à la rigueur, même si je déteste ce boulot. Il me permet au moins de vivre. Mais seul et antipathique, c'est plus difficile à gérer.

La solitude est-elle la cause de l'antipathie ou sa conséquence ? Une célèbre et sempiternelle théorie de basse-cour. Mais si j'écrasais dans l'œuf cette noirceur avant qu'elle ne remonte à la surface, je me trouverais peut-être une petite poule. Ce qui m'éviterait de réfléchir à ma vie, comme en ce moment, les yeux dans le vague, assis à mon bureau.

Chienne de vie !

C'est un stylo qui me sort de ma rêverie. Celui de Fanny, l'hôtesse d'accueil, qui vient de le jeter violemment contre ma porte vitrée. Elle serait personnage de bande dessinée, des éclairs sortiraient de ses yeux. Elle me fait de grands signes dans tous les sens. On dirait l'interprète des débats de l'Assemblée nationale, sur la trois, dans son petit médaillon. Eh, oh, je ne suis pas sourd ! Un téléphone… qui sonne… dans mon bureau ?

Ah oui, tiens !

Et je dois lui ramener son stylo aussi. Ben voyons. Pour lui éviter de bouger ses grosses fesses. Ça, c'est moi qui le pense. Mais je lui épargne mon opinion, même en langue des signes. Si elle arrêtait aussi de bouffer des cacahuètes à longueur de journée, et qu'elle venait à pied au boulot, ou au moins en vélo. Elle habite à trois rues d'ici. Je le sais, je l'ai vue monter dans sa voiture devant chez elle, le deuxième jour de mon affectation. Au troisième, je lui ai balancé qu'elle ferait mieux de commander un container de cacahuètes directement aux Chinois, ils lui feraient un prix. Comme ça, elle pourrait s'acheter un vélo. Elle m'a répondu d'aller me faire foutre.

L'appel a rebasculé chez elle, faute de réponse. Je la vois appuyer sur son poste avec la même vigueur que le type qui s'acharne sur une télécommande qui ne marche pas, en m'envoyant une nouvelle salve d'éclairs. Je décroche enfin, en lui adressant un sourire de vendeur de cuisine.

— Lieutenant, nous l'avons localisé ! Une petite

ferme isolée sur les hauteurs du village. Les Hauts-Bois. L'adjudant Gauthier connaît.

— Parfait, gardez vos positions, à couvert, jusqu'à nouvel ordre. On arrive avec du renfort.

Enfin un peu d'action. Trois semaines que je suis là et rien de bien excitant. Cette mutation pour l'Ariège ne m'emballait guère, mais il me fallait cette augmentation. Absolument. Le banquier commençait à faire des ronds dans le ciel, un vieux réflexe de vautour quand la lionne est sur le point de croquer l'arrière-train d'un zèbre à bout de souffle. Moi, c'est l'aide à domicile que j'ai embauchée pour Madeleine qui me croque l'arrière-train. Enfin, façon de parler, hein ? ! Elle n'est plus toute jeune, plutôt moche, et parle fort, une habitude prise au contact des vieux dont elle s'occupe. Mais elle est gentille avec eux. C'est déjà ça.

Ainsi, mon compte flirte de plus en plus avec le découvert autorisé. Je n'ai jamais été bien riche, mais là, c'est Padirac ! Et l'interdit bancaire me pend au nez.

Pourquoi ça ne m'emballe pas ? Parce que je suis un gars de la ville, que je ne connais rien d'autre, et qu'en Ariège, je vais m'ennuyer. La seule chose positive, c'est que je vais pouvoir aller rôder autour des châteaux cathares avec mon VTT et mes feuilles à dessin. C'est tout. Pour le reste, à la brigade, on m'a prévenu : « Dans ton secteur, c'est surtout des agriculteurs. » Super ! Amis bouseux, me voilà…

Après une bonne heure de route, nous traversons le village et bifurquons vers la ferme en question. Gauthier m'a décrit la situation. Il connaît, il est du coin. Une femme seule sur l'exploitation. D'après lui, elle n'est pas complice, c'est sûr. Je lui fais remarquer que si on retrouve ce dénommé Martin là-bas, elle aura quand même des ennuis. Il précise aussi qu'elle a du caractère.

— Ça change quelque chose à l'interpellation ?

Il répond d'un vague sourire sur les lèvres en regardant le paysage. Je ne vais pas me laisser impressionner par une vieille fermière non plus ? !

Nous nous arrêtons en contrebas, au pied d'une grande bâtisse.

— Déployez-vous autour des bâtiments. Et pas de conneries, les gars.

Huit hommes sous mes ordres. Ça me change. Ça fait partie de l'augmentation. Première intervention sur le terrain, ils m'attendent au tournant. La jauge est en équilibre…

Gauthier et moi avançons vers la grande cour délimitée par un bâtiment en U. Deux gendarmes nous accompagnent. Les autres encerclent la ferme avec pour consigne d'en fouiller chaque recoin. Pour nous, il s'agit d'interpeller la fameuse fermière caractérielle.

Au bout du chemin, un panneau en bois : « Chien lunatique. »

— C'est quoi, un chien lunatique ? je demande à Gauthier.

— Un jour, il vous renifle l'entrejambe en remuant la queue, et le lendemain, il vous mord dans les roubignoles.

— C'est une blague ?

— Non, une image. Il n'est pas méchant, mais il garde la ferme.

Allons bon ! Une fermière caractérielle, un chien lunatique ! Et ses vaches, elles sont schizophrènes ? !

Nous avançons prudemment dans la cour.

— Qu'est-ce que c'est que ce bruit ?

— La machine à traire, lieutenant. Il est dix-sept heures. Elle doit y être.

— Comment s'appelle-t-elle ?

— Marie Berger.

— Vous la connaissez ?

— Un peu. Je suis du village d'à côté. Elle a une réputation.

Une réputation ? Quelle réputation ?

Il n'a pas le temps de me répondre. La fermière réputée caractérielle est déjà dehors, attirée par les aboiements appuyés de son lunatique de chien qu'on entend dans la salle de traite.

Ah ben, mince alors !

Moi qui m'attendais à voir sortir une vieille paysanne bien bâtie, un fichu sur la tête, une jupe à grosses fleurs au-dessus des bottes et quelques poils au menton. Elle est jeune, la trentaine, et porte une cotte de travail bleue, largement trop grande pour elle. Je serais le bonhomme Michelin dedans. Une brindille. Qu'est-ce que c'est que ce truc dans sa main droite ? Elle a beau sembler inoffensive, je la mets en joue. La réputation, le caractère, le truc bizarre dans la main, le chien lunatique et les vaches schizophrènes, je me méfie...

— Ne bougez pas ! Nous recherchons un dénommé Martin. Jean-Raphaël Martin. Tout porte à croire qu'il est ici.

J'aboie.

— Tout porte à croire que vous allez vite baisser cette arme si vous voulez que je vous réponde. Je n'ai rien à me reprocher. Et vous allez me parler autrement !

Elle a dû voir mon coup d'œil vers sa main, parce qu'elle ajoute dans la foulée :

— Le désinfectant pour pis de vache n'est pas dans la liste des armes blanches. Ou bien si ?

J'entends pouffer Gauthier. Je comprends mieux sa remarque de tout à l'heure. Préciser son trait de caractère changeait quelque chose à l'interpellation. Les deux gendarmes se sont retournés pour rigoler discrètement avant de reprendre leur sérieux. Tant bien que mal. Je baisse mon arme et la range dans son étui. Ça commence fort. Je déteste qu'on se foute de moi.

Je prends ma respiration pour poursuivre mon interrogatoire quand je la vois tourner les talons et repartir dans la salle de traite.

— Mais elle s'en va ?

— La traite, lieutenant… Elle ne peut pas faire attendre ses vaches. Si vous voulez la questionner, il va falloir la suivre, ou attendre la fin.

Non, mais je rêve.

En trois minutes, elle vient de me foutre la honte devant la moitié de mon équipe qui ne manquera pas de le raconter à l'autre avant ce soir. Pour qu'ils me prennent au sérieux, c'est donc grillé. Ça, c'est fait. Merci, mademoiselle !

Ça jure un peu, le caractère de cochon avec le corps de gazelle. Ou alors, la gazelle a avalé une lionne. Pour une fois, la chaîne alimentaire part dans l'autre sens. Cela dit, pour vivre seule ici, dans ce trou perdu, à gérer un troupeau de vaches, il faut sûrement une bonne dose de courage et de détermination, donc du caractère. Surtout si elles sont schizophrènes.

Elle est quand même jolie de face et dotée d'un beau petit cul bien ferme vu de dos. Là, c'est le bout de mon cerveau macho qui vient de siffler comme un Italien sur la plage. Ça doit être la surprise. Il était programmé pour voir une dondon-jupe-à-fleurs, avec un tablier à carreaux. Ceux qu'on trouve dans le catalogue de La Redoute juste avant les sous-vêtements. Madeleine en commandait un de temps en temps pour faire le ménage. Et moi, je feuilletais les pages suivantes, sous la couverture, avec ma lampe de poche, quand elle était couchée, pour ne pas qu'elle me surprenne en train de respirer fort.

Cerveau masculin surpris ou en manque. Ça fait combien de temps que… ?

Bon, ce Martin, il faut qu'on le trouve. Le curé a porté plainte. À moins d'un miracle, il ne prêchera pas dimanche prochain. Il l'a quand même salement esquinté.

La salle de traite est petite et sombre. Je descends dans la fosse où elle s'affaire autour de ses vaches. La machine est trop bruyante pour s'entendre de loin.

— Est-ce que quelqu'un se cache chez vous ? Il vaut mieux nous le dire. Mes hommes fouillent la ferme, ils finiront bien par le trouver.

— Qu'est-ce que Jean-Raphaël ferait ici ?!… Attention !

— Attention à quoi ?

Elle n'a pas le temps de répondre. Je sens des éclaboussures chaudes dans le cou suivi d'une odeur d'urine. Et merde ! Manquait plus que ça. Gauthier ne s'est pas mouillé, c'est le cas de le dire. Il est resté en hauteur, dans l'encadrement de la porte. Il aurait pu me prévenir. Ah non, bon sang ! Maintenant, c'est l'autre à côté qui chie.

— Elles font souvent ça ?

— Quand on les dérange… Il y a de l'essuie-tout derrière vous. Et Jean-Raphaël, qu'est-ce qu'il a encore fait ?

— Il a agressé le curé du village pour lui voler la recette de la quête. Ce n'est pas une grosse somme, mais le curé est bien amoché. Ce n'est pas la première fois apparemment. Cette fois-ci, il veut porter plainte.

— Quel idiot !

— Le curé ?

— Non, Jean-Raphaël. De toute façon, je ne vois pas pourquoi il serait là.

— Parce que mes hommes l'ont vu se diriger vers votre ferme et ne pas en repartir.

— Alors, je ne suis pas au courant. Je ne passe pas ma journée assise sur mon banc dans la cour à regarder qui arrive et qui repart, j'ai mieux à faire, et le chien était avec moi pour rentrer les vaches tout à l'heure. Vous n'avez qu'à chercher, moi, je n'ai pas le temps.

Agréable et coopérante. On va bien avancer avec elle. M'étonne pas qu'elle soit célibataire !

Gauthier me fait alors signe discrètement. Ils l'ont trouvé. Ce n'était pas bien difficile. Il est dans la cour, encadré par deux gendarmes, les menottes aux poignets, de la paille dans les cheveux et un sourire un peu simplet sur le visage. Idiot semblait le mot adapté. Le temps de lui signifier ses droits, ils l'embarquent dans l'un des véhicules.

Et moi, me voilà sacrément embêté avec mon affaire. Je devrais l'embarquer elle aussi, pour les besoins de l'enquête. Elle cachait quand même un type qu'on cherche depuis deux jours pour un vol avec violence.

Gauthier m'en dissuade. D'après lui, elle n'était pas au courant. Et quand bien même je voudrais l'amener à la brigade, elle ne me suivrait pas. Du moins, pas de son plein gré.

— Et la connaissant… ajoute-t-il.

Oui, oui, c'est bon, j'ai compris, je vais au-devant du scandale. Tant pis, je vais faire autrement. J'y retourne, en essayant mes questions au milieu des vaches, du bruit de la machine et des odeurs animales. Mais les conditions sont peu enclines à l'obtention d'informations intéressantes et fiables. Elle est obnubilée par son travail et totalement désintéressée du mien. Je laisse tomber. Une dernière vache se lâche dans mon dos. Pisse *repetita.* Au point où j'en suis, ça ne me fait plus ni chaud ni froid. Juste tiède, dans le cou.

— Je reviendrai vous poser quelques questions. Tâchez de ne pas quitter votre habitation dans les prochains jours.

— Où voulez-vous que j'aille avec mes vaches ? Mettez des vieux habits si vous venez à l'heure de la traite.

Très drôle.

— Vous ne vous êtes pas présenté.

— Lieutenant Olivier Delombre.

Elle ne me regarde même pas et poursuit son travail, comme si je n'étais déjà plus là. Jolie, mais revêche.

En traversant la cour, pour rejoindre mes collègues, j'enlève mon tee-shirt imbibé et je le balance dans le coffre. Tant pis, je roulerai torse nu.

Mon coéquipier me lance un bref regard.

— Du caractère, n'est-ce pas ?

Gnagnagna…

Gauthier est un type neutre. Ni désagréable ni franchement poilant. Il fait son boulot. Plutôt bien d'après les notes de sa hiérarchie. Il est petit, menu, les cheveux très courts sauf une touffe devant qu'il flanque au garde-à-vous tous les matins. Comme Tintin. Il ne serait pas sympathique, je le trouverais ridicule.

Mais je suis quelqu'un de fondamentalement binaire. Blanc ou noir. Coupable ou innocent. Gentil ou méchant. Belle ou moche. Ainsi, un type sympathique ne peut pas être ridicule. Une femme désagréable ne peut pas être belle. Classement réducteur, mais simple.

Marie Berger, je ne sais pas où la ranger. Zéro ou un ? Ce premier face-à-face rend la virgule envisageable.

2

Antoine dit que je ne suis pas un agriculteur comme les autres. Forcément, il a dû me bricoler des rallonges de pédales sur le tracteur, pour que je puisse les atteindre sans avoir à me lever de mon siège, ce qui est indéniablement plus confortable. Surtout pour les foins, quand on passe la journée entière les fesses collées sur le siège brûlant. Et puis, je dois commander mes cottes de travail par Internet pour trouver du XS. Ça n'existe pas en France. Pour le reste, je lis *La Revue de l'éleveur* et *La France agricole,* je fais partie des fichiers du contrôle laitier, du centre d'insémination, du conseil de gestion, des commerciaux en tout genre qui ratissent notre fond de vallée, quand ils en ont le courage, et je paie mes cotisations MSA. Mutualité sociale agricole. L'assurance santé des paysans. Ça, pour mutualiser les coûts, ils savent faire. Le trou de la sécu ? Ils ne connaissent pas. Forcément, ils cherchent du remblai chez chacun d'entre nous. Et nous, on creuse sagement notre déficit, payant en plus une complémentaire santé, sinon, on nous rembourse des clopinettes et l'argent qu'on a mis de côté pour la retraite sert à payer la double opération de la hanche consécutive à cinquante années de tracteur. MSA. Méga Super Arnaque, oui !

Je râle donc comme tous les agriculteurs.

Non, Antoine dit que je suis différente parce que j'ai ça dans la peau. Je ne me suis pas installée par dépit, mais par évidence. Un sacerdoce. Parfois, quand je consulte mon exercice comptable et le résultat net, je me demande si j'appartiens à la catégorie des mystiques ou à celle des illuminés. Mais c'est vrai, finalement, je ne me voyais pas faire autre chose.

Antoine est un grand fan d'Astérix. Devant l'Éternel. Il connaît toutes les bulles par cœur, tous les personnages, tous les scénarios. Il me dit que si *Astérix chez les vaches* existait, je pourrais endosser le personnage d'Obélix, celui qui est tombé dedans quand il était petit. Moi, ce serait dans le tank à lait. Mais je n'ai pas l'envergure d'Obélix. Lui si. Le ventre en moins. Vous allez me dire, Obélix sans le ventre, ce n'est plus Obélix. Mais les menhirs ? Vous en faites quoi, des menhirs ? Eh bien, Antoine soulève facilement un veau de cent kilos. J'aurais préféré qu'il me compare à Falbala, mais ce n'est pas son genre de faire des compliments de beauté aux femmes.

Il y a deux jours, l'agricultrice irréductible que je suis était aussi dans le fichier des Romains.

Je n'aime pas être dérangée pendant la traite. Sinon, je m'embrouille ou j'oublie des trucs. Et là, tranquillement dans mon rythme, je vois débarquer les gendarmes dans ma cour, avec, à leur tête, une espèce de Jules César désagréable qui me met en joue avec son arme pour me demander si Jean-Raphaël est chez moi. Je lui ai retourné la politesse. Comme si j'allais croire qu'il pourrait me tirer dessus sans raison. Et j'ai failli oublier de mettre Violette sur le pot. Je n'aurais rien eu à donner à son veau.

Le problème, c'est qu'ils l'ont trouvé dans ma paille. Jean-Raphaël, pas mon veau. Alors forcément, le fameux type avait quelques questions à me poser. Qu'il revienne pour me les poser, ses questions. Je ne vais pas mettre des barbelés tout autour de la ferme pour empêcher les fuyards de venir se réchauffer dans ma paille !

Il n'empêche, Jean-Raphaël exagère. Tout le monde sait qu'il est un peu limité. Mais là, il tourne mal, à force de regarder la télé à longueur de journée et de vouloir ressembler à tous ces gens qui gagnent de l'argent sans effort. De là à attaquer le curé, à lui piquer la caisse et à venir ensuite se cacher chez moi ! Pourquoi chez moi, d'abord ?

— Pourquoi chez vous, d'abord ?

— J'en sais rien moi ! Peut-être parce que c'est isolé. Peut-être parce que je ne suis pas méchante avec lui, contrairement aux autres.

Le lieutenant Delombre est arrivé le lendemain de l'interpellation, en début d'après-midi. Il a bien pris soin d'éviter l'heure de la traite. Il est froid et distant. Le métier de flic lui va bien. Je lui propose quand même un café. Ça ne se fait pas chez nous de recevoir les gens sans proposer un café. Il a les sourcils froncés comme s'il réfléchissait en permanence. Ça m'étonnerait que ce soit le cas. Il devrait se détendre un peu, il va faire un ulcère.

Nous avons parlé de Jean-Raphaël. Une bonne demiheure à le décrire, à supposer les motivations de son geste. Ce n'est pas un mauvais bougre. Juste un pauvre gamin, né sous X. Rapidement placé chez Monique, famille d'accueil pour les enfants de l'assistance. Un QI limité, Forrest Gump sans les jambes. Ceci explique peut-être qu'il n'ait jamais été adopté, alors il est resté chez elle, au fil des années. Ça devait être dur pour lui de voir partir les autres gamins, tous adoptés, les uns après les autres, alors que lui, personne n'en voulait.

Encore aujourd'hui, personne n'en veut, à part Monique qui a fini par l'aimer comme son fils.

Ce n'est pas de sa faute s'il a le garde-boue qui frotte.

Devenu majeur, il est resté avec Monique. Faire quoi d'autre ? Sans diplôme, trois neurones ! À peine une petite pension d'adulte handicapé, le balai de la commune pour l'occuper. Alors forcément, de voir l'argent facile, un peu partout, ça le rend fou. Comme il se met toujours au fond de l'église, à la messe du dimanche, il doit voir passer le panier de quête déjà bien rempli. Ça lui aura donné des envies…

— Vous le connaissez bien ?

— Depuis la maternelle, nous sommes de la même année. Avec Gauthier, d'ailleurs…

— Ah ? Il m'a dit qu'il venait du village voisin.

— Classe unique pour trois villages. C'est la campagne ici ! Qu'est-ce qu'il vous a dit d'autre ?

— Que vous aviez du caractère.

— Ça pose un problème ?

— Non, non, du tout. Vous m'avez foutu la honte devant mes hommes, et vos vaches en ont rajouté une couche, mais tout va bien. Je m'en remettrai. Pas mon tee-shirt, mais c'est un détail.

— Qu'est-ce qui vous a pris aussi de pointer votre arme sur moi en aboyant ?

— C'est la procédure.

— Ah, alors si c'est la procédure… Ben, mes vaches aussi, c'était la procédure. Protocole salle de traite, troisième alinéa : un inconnu s'introduit, on pisse et on chie.

Il ne relève pas. Sourcils froncés. Froid. Distant. Antipathique. Ulcère en préparation.

— Et depuis la maternelle ?

— Il est resté au village, moi aussi, plus ou moins,

alors ça fait trente ans qu'on se croise. Il risque quoi, maintenant ?

— De la prison peut-être. Ça dépendra de l'avis du psychiatre.

— C'est triste, il n'est pas méchant.

— Il aurait pu s'en prendre à vous !

— À moi ? Aucun risque. Il a essayé une fois, à dix ans, dans la cour. Je lui ai mis un coup de pied entre les jambes. Il est resté à genoux un quart d'heure avec la nausée. Il ne m'a plus jamais touchée.

Aujourd'hui encore, à chaque fois que je le croise, je vois bien sa main droite se mettre légèrement devant son pantalon, comme si c'était inscrit dans ses gènes. Tous les garçons de mon âge ont été témoins de la scène et plus personne n'a jamais osé me tourner autour par ici. C'est peut-être pour ça que je suis seule…

— Et vous vivez seule ?

Lui, il va finir par m'énerver avec ses questions.

— Pourquoi, ça fait partie de l'interrogatoire ?

— Plus ou moins. C'est aussi de la prévention. Vous êtes une femme, vous êtes seule dans un lieu isolé…

— Et alors ? Vous avez prévu de planter la tente et de monter la garde ? ! Je sais très bien me défendre. Et Albert entend tout.

— Albert ?

— Mon chien.

— Pourquoi Albert ?

— Parce que c'était l'année des A. L'année des E, je l'aurais appelé Einstein. Il sait parfaitement ramener vingt vaches du champ, et il n'y en a pas une qui dépasse.

— J'ai toujours rêvé d'avoir un border collie. Ce qu'ils sont capables de faire est admirable.

— En appartement, ils sont malheureux, il leur faut un troupeau.

— Je sais, c'est pour ça que je n'en ai pas.

Albert a provoqué le relâchement de ses sourcils, comme si un masque était tombé. Surtout quand j'ai évoqué son seul défaut : il mange les araignées. En soit, c'est plutôt une qualité, que l'on attribue généralement à un aspirateur. Le défaut, c'est de le faire vomir quand elles sont trop grosses. Les premières fois, je me suis dit qu'il n'allait pas récidiver, mais rien à faire, c'est plus fort que lui. Et des grosses, à la ferme, ce n'est pas ce qui manque. Alors, je lui ai appris à vomir dehors. C'est déjà ça. Le lieutenant semblait à la fois dégoûté et un brin fasciné par les prouesses de mon chien. J'ai même cru apercevoir un vague sourire. Aussi furtif qu'une étoile filante. Si vous ne regardez pas au bon endroit, au bon moment, c'est fichu.

De fil en aiguille, nous avons parlé plus d'une heure, nous éloignant progressivement de l'enquête. Le chien, les vaches, comment ça se passait, ce que je faisais du lait. C'était bizarre. Ce flic antipathique au premier abord avait réussi à détourner la conversation, me faisant oublier qu'il était flic et qu'il était antipathique. J'en aurais presque omis que la veille, il avait pointé son arme sur moi. À quoi, il joue ?

Après son départ, en touillant mon café, j'ai cherché comment définir l'impression qu'il m'avait faite. J'ai cherché longtemps. Il me faisait penser à un parpaing fourré à la frangipane. En apparence, un mec gris, dur, rugueux, mais dont l'intérieur est riche. Limite indigeste. Je l'ai surtout trouvé fragile. Son air soucieux dessine sur son front une fissure comme dans le mur derrière la maison, autour du potager. Celui qui manque de s'écrouler et qu'il faudrait que je répare un jour. Je repousse sans cesse parce que je n'aime pas faire du béton ; j'ai mal partout pendant trois jours après ce genre de chantier.

Un parpaing a beau être un parpaing, quand il est fissuré, il ne tient plus grand-chose. Il y a des gens comme ça qu'on trouve désagréables, rabat-joie, d'une antipathie rédhibitoire à toute envie d'aller vers eux, et qui pourtant, souvent sans le vouloir, vous envoient par un regard ou une attitude, un grappin sur le haut de votre muraille. Ils repartent et voilà que vous les trouvez attachants.

Je ne sais pas si la fissure sur son front annonce un écroulement prochain ou le fait qu'il se soit construit de manière un peu bancale. Ou alors, c'est le signe d'une faille plus profonde. L'étroite entrée d'une immense cavité contenant des trésors inattendus. Voilà que je l'imagine en grotte de Lascaux. N'importe quoi ! Enfin, ce n'est pas pire qu'un parpaing à la frangipane. Ne cherchez pas, j'ai cette caractéristique d'imaginer des choses incongrues.

Et je tourne toujours ma petite cuillère dans mon café, alors que le sucre doit être dissout depuis deux bonnes minutes, à penser à un type qui a fait irruption dans ma vie d'une manière inattendue et déplaisante et que j'ai pourtant trouvé touchant. Je dois bien être la seule. Mémé me disait toujours que j'avais le chic pour ramener à la maison les petites bêtes abîmées que je trouvais sur le bord du chemin. Et puis, à la ferme, les animaux malades venaient toujours vers moi.

Comme si je les attirais.

Marie Berger, condamnée à recueillir les petits êtres fragiles et blessés. Elle va aller loin, la Marie, avec ce genre d'objectif…

Et moi ? Qui s'occupe de moi ? Je suis pourtant

fragile et blessée, moi aussi. Ça fait six ans, et ça ne guérit pas.

Heureusement qu'Antoine est là.

Quand je lui demande ce que je ferais sans lui, il me répond : « autrement ». Mais la question : « Et toi, sans moi ? », il ne l'imagine même pas.

3

Elle n'a peur de rien, la petite fermière. On a beau être en Ariège, dans le calme des montagnes, sa maison est quand même loin de tout. À peine un couple de petits vieux dans le premier virage, en contrebas, qui n'entendraient de toute façon rien. Je le sais, je suis allé les interroger pour savoir s'ils avaient vu du mouvement autour des Hauts-Bois. Ils entendaient à peine mes questions. Le bonhomme avait fabriqué un petit cornet en papier en forme de trompette, qu'il s'était collé dans l'oreille pour capter le son. Les sonotones n'arrivent pas jusqu'ici ? Elle pourrait hurler comme une truie qu'on égorge, si le vieux n'a pas son cornet dans l'oreille…

Ça m'énerve, ces gens qui n'ont pas conscience du danger. Et après, c'est la police qu'on appelle pour constater les dégâts. En plus, elle est plutôt mignonne, elle doit susciter des convoitises.

J'aurais la trouille si j'étais à sa place. Déformation professionnelle ou conscience supérieure ? J'ai tendance à voir le mal partout. Parce qu'avant le mal, on peut se prémunir. Après, c'est trop tard. Je sais de quoi je parle.

Et puis, outre mon fonctionnement binaire, j'ai des concepts bien ancrés. Certains parlent de psychorigidité, moi, j'appelle ça du pragmatisme ! Des constatations, des statistiques, des faits. Une femme seule dans une ferme de montagne est en danger. Point barre. Bon, mon concept de l'agricultrice célibataire jupe à fleurs et tablier à carreaux a pris du plomb dans l'aile. Mais Marie Berger doit être l'exception qui confirme la règle. La fameuse virgule dans le système des nombres entiers.

Il n'empêche. Madeleine dirait que « c'est un sacré petit bout de femme ». Je me demande comment elle va. Elle était déjà bien affaiblie il y a deux mois. Deux mois, c'est beaucoup trop long sans la voir, mais avec la mutation, le déménagement, je n'ai pas encore eu le temps de m'y rendre. Et puis maintenant, ça fait plus loin. Et le pire, c'est qu'elle ne va même pas m'en vouloir. Trop bonne, Madeleine. Mais malheureuse dans ce quatrième âge qu'elle trouve trop long. Son aide ménagère est bien gentille, mais je crois que Madeleine a envie de partir. Elle a tenu parce qu'elle avait toujours à faire. Maintenant qu'elle ne peut plus, à quoi bon ? J'y retournerai la semaine prochaine.

Madeleine, le jour où elle ne sera plus là, je ne sais pas qui j'irai voir le week-end.

J'achèterai un border collie, que je laisserai dans un troupeau quelque part, et j'irai le voir pendant mon temps libre.

Pauvre gars, va ! Acheter un chien pour avoir de la compagnie. Et si tu étais plus engageant, hein ? ! Ça t'éviterait de songer à un chien pour combler le vide affectif qui te ronge, et tu pourrais te l'offrir par pur plaisir récréatif.

4

Je suis en avance ce matin. Il y a moins de vaches à traire en ce moment. Beaucoup de taries, et peu de nouvelles génisses à qui il faut apprendre la salle de traite et qui me font toujours perdre du temps. Si je les stresse, c'est encore pire. Elles gardent leur lait, et je n'ai rien gagné. Mais qui dit période calme, dit beaucoup de vêlages dans les prochains temps.

Du coup, je suis également en avance pour mes fromages. Tant mieux, j'aurai le temps de faire une tarte pour ce midi. Antoine vient manger, comme tous les jeudis. Je me réjouis. Il me fait du bien. Et il adore ma tarte aux pommes. Échange réconfort contre pâtisserie. C'est honnête, non ?

Mine de rien, démouler et retourner mes tommes de cinq kilos, au bout d'un moment, ça tétanise les muscles des bras. Je fais donc régulièrement une pause en regardant par la fenêtre embuée de la fromagerie, avec le scénario de Walt Disney en tête. *Un jouuuuuuur, mon Prince viendraaaaaa*. Blanche-Neige et les vingt-sept vaches. C'est d'un romantisme !

Mais ma grande, les princes ne marient pas les paysannes. Encore moins, si elles sentent la vache et le lait caillé. Que dire s'il faut aller les chercher si loin ? Si au moins tu acceptais un peu de sortir de ton fond de vallée… D'un autre côté, avec les horaires de traite, ce n'est pas évident de courir la contrée. Et puis, la dernière fois que j'y ai cru, le conte de fées a mal tourné. J'ai croqué dans la pomme empoisonnée et je me suis réveillée avec la nausée. Je devrais mettre un panneau à l'entrée de la cour : « Prince charmant, passe ton chemin, la paysanne n'attend plus rien. » Comme ça, je serais vraiment sûre de ne plus souffrir. Je récolterais un sermon d'Antoine, à coup sûr.

Tiens, le lieutenant ! Cette enquête ne finira donc jamais ?

En voiture banalisée ! Seul ! C'est pour du fromage ou pour des questions ?

Albert aboie vaguement. Ça, c'est mauvais signe, il commence à s'habituer. On dit du bien de lui, trois caresses derrière l'oreille et le voilà qui fond devant l'ennemi.

Je le vois se diriger vers la porte de la maison et lire l'écriteau « Je suis à la fromagerie. » Il ne doit pas savoir où est la fromagerie.

Après tout, il est flic. Je ne vais pas courir à ses devants, il pourrait croire que je l'attends, ce qui n'est pas du tout le cas. Moi, j'attends le prince charmant. Le vrai, cette fois-ci.

Mais bon, finalement, ça coupe un peu les journées de voir du monde. Et puis, je pourrais peut-être aller creuser sa fissure, voir si j'aperçois quelque chose en profondeur. Dans le bon sens du terme. Pas comme l'ophtalmo de ma grand-mère. Je l'avais observé faire son fond d'œil, avec sa petite lampe, collé à mémé à lui regarder l'intérieur, et je m'étais dit qu'on pouvait peut-être voir tout au fond, là où s'inscrit notre vraie nature, derrière l'emballage. C'est comme d'aller voir les cuisines du restaurant. Ça renseigne. Mais on ne le fait jamais. On mange sans savoir, en oubliant la possibilité d'un cafard.

Quand il avait fini par conclure qu'il ne pouvait rien faire pour elle – sa vue baissait inexorablement –, je lui avais demandé ce qu'il avait vu exactement, pour éventuellement demander un autre avis. Il m'avait regardée avec un petit sourire vicieux en me répondant que, non, il n'avait pas vu le fond de sa culotte.

Connard !

Je suis mieux ici, dans ma fromagerie, à une heure de route de la première ville, qu'à croiser toute la journée des types qui pensent aux fonds de culotte avec un regard lubrique.

— Je ne vous dérange pas ? m'a-t-il enfin demandé, alors qu'il était là depuis quelques minutes déjà.

— Si je peux continuer mes fromages, vous ne me dérangez pas. C'est encore pour l'enquête ? Elle n'est pas finie ?

— Non, enfin si, enfin oui, j'ai l'une ou l'autre petite question.

— Comment va le curé ?

— Mieux, mieux, il est rentré au presbytère et a retiré sa plainte.

— C'est bien. Jean-Raphaël ne recommencera pas. Il n'est pas dangereux.

— Vous avez entendu parler du cambriolage au village ?

— Oui, ça arrive. Pas de blessé, heureusement.

— Vous avez une alarme dans votre maison ?

— C'est une blague ? Une alarme dans une vieille ferme comme la mienne ? Et où je trouverais l'argent pour la payer ? De toute façon, il n'y a rien à voler ici, à part des vaches et du fromage.

Soit il vient d'une autre planète, soit il ne connaît vraiment pas la vie à la campagne et le compte bancaire d'un agriculteur. Une alarme ! Et il ne veut pas que je mette le GPS sur mon tracteur, des volets roulants aux fenêtres et une baignoire Jacuzzi à bains bouillonnants ? ! Bon, une baignoire à bains bouillonnants, ce serait vraiment le pied. Surtout quand j'ai mal partout le soir et que personne n'est là pour me faire des massages et drainer l'acide lactique. Parfois, j'en ai tellement sous la peau que j'ai l'impression d'avoir du fromage à la place des biceps.

Même pas en rêve, mes bains bouillonnants. Le seul argent que j'arrive à mettre de côté en ce moment va servir à changer le tracteur qui démarre une fois sur deux. Antoine ne peut plus rien pour lui. Ci-gît bientôt mon vieux Deutz sans capot. Antoine le disséquera comme une souris de laboratoire pour récupérer quelques pièces et nous éviter ainsi des frais supplémentaires chez un garagiste sans scrupule, qui nous facture pour une journée de travail la valeur de deux vaches en lactation.

Il m'en faut un autre avant l'hiver, sinon, je ne pourrai pas déneiger les routes communales et mon contrat avec la mairie va me passer sous le nez. Mon beurre dans les épinards. Parfois, les épinards tout court selon les années.

Même le plus petit des tracteurs coûte la peau des fesses. Pourtant ici, en montagne, on cherche du fonctionnel, du solide, du maniable. Pas pour rouler des mécaniques comme les gars de la plaine. On dirait qu'il n'y a que leur tracteur qui compte dans la vie. Ils le chouchoutent plus que leur femme, si toutefois ils en ont une. Antoine dit que chez l'agriculteur, la taille du tracteur est inversement proportionnelle à celle de son sexe. « Gros tracteur, petite bite. » Pour se sentir bien équipé. Quand même. Sous la couette, ça ne change rien, mais c'est pour sauver les apparences, se donner de la consistance. Ils peuvent aller parader dans les champs, fiers comme des paons, les chevaux DIN à la place des plumes.

Antoine a un tout petit tracteur.

Sa théorie tient donc la route.

Et là, je me surprends à me questionner sur la taille du tracteur qu'aurait le lieutenant s'il était paysan. Peut-être que, dans la gendarmerie, c'est pareil avec les armes. Gros calibre, petit kiki.

T'arrête, oui ? ! C'est sa caverne qui t'intéresse, pas son piton rocheux.

— Vous avez du matériel informatique, une télévision ? poursuit-il.

— Non. Juste un ordinateur portable.

— Il y a vous…

— On aurait du mal à me revendre sous le manteau. Je n'ai pas une grande valeur marchande.

— Je parlais de votre…

— Mais arrêtez donc de vous inquiéter pour ma sécurité ! Vous voyez le mal partout. On n'est pas en ville ici.

Il me sort alors tout un tas de statistiques sur la délinquance dans les campagnes, les grosses affaires qui se sont produites dans des hameaux isolés. Des trucs horribles, je l'accorde. Je le laisse parler, ça semble lui tenir à cœur. Moi, je m'en fiche, je n'ai pas peur. Je sais qu'il y a un destin et qu'on n'y peut pas grand-chose. Et puis, je sais me défendre.

Pendant qu'il me parle de ses ignobles faits divers, je pense à ma tarte aux pommes. Quand j'ai une idée en tête, je n'aime pas la laisser filer. Je lui propose donc de venir poursuivre la discussion à la maison. Il n'aura qu'à éplucher les pommes pendant que je ferai la pâte. Il n'y a que les vieux qui ne peuvent plus faire deux choses en même temps. Quand je promenais mémé sur le chemin, à chaque fois qu'elle voulait me dire quelque chose, elle s'arrêtait. Et moi, je ne comprenais pas. Jusqu'au jour où je lus dans une revue scientifique que c'était lié à l'âge et à la dégradation cérébrale. Ils risquent la chute s'ils parlent en marchant.

Le couteau en main, il me demande si j'ai de la famille par ici. Je lui parle de ma mère, qui m'a mise au monde en oubliant de m'aimer et qui a préféré faire ses valises que la lessive pour partir je ne sais où avec je ne sais qui. J'avais six mois. Environ. Personne ne m'a jamais vraiment expliqué les circonstances.

— Et vous n'avez jamais cherché à la retrouver ?

— Pour quoi faire ? Elle ne voulait plus de moi.

— Certes.

— Il faut de tout pour faire un monde, y compris des femmes qui n'en ont rien à faire de leur enfant.

— Et des enfants qui s'en sortent quand même ? me demande-t-il sans grande conviction, comme persuadé du contraire.

— Bien sûr qu'on s'en sort. Je semble malheureuse ?

— Non.

— Déséquilibrée ?

— Non plus.

— Suicidaire ?

— Non. Quoique, de vivre seule dans la montagne, cela peut s'y apparenter.

C'est drôle, il épluche les pommes en partant du haut et en tournant tout autour, pour faire l'épluchure la plus longue possible. J'y jouais aussi. On faisait des concours avec mon grand-père. Il est plutôt doué. Il le fait même sans réfléchir comme si c'était la seule façon de le faire. Au moins, il sait se servir de ses mains. C'est plutôt rassurant quand on le voit pointer son arme sur vous !

Je parle aussi de mon père que je vois trop rarement. À courir le monde avec sa valise de diplomate durant toute mon enfance, il ne restait que peu d'opportunité, peut-être une ou deux fois par an. Alors, depuis qu'il s'est stabilisé en Thaïlande, amoureux, les rencontres sont devenues rarissimes. Il a au moins attendu que je le sois moi-même. Stabilisée, pas amoureuse !

J'évoque pépé et mémé, qui m'ont élevée comme leur fille, sur la ferme, palliant l'absence de leur belle-fille et la bougeotte de leur fils. Mémé disait toujours à mon père, en cachette de moi, qu'un enfant avait besoin de stabilité pour se construire. Et moi, je savais mieux me cacher qu'eux. J'entendais tout.

De la stabilité ? Je commençais avec des sacrés handicaps. La stabilité, je l'ai trouvée à la ferme, avec les vaches, le rythme des saisons et le retournement cyclique des fromages. Il n'y a qu'à l'adolescence où j'ai eu envie de suivre mon père. L'âge où tout est possible, où on a envie de découvrir le monde. Où un pépé et une mémé commencent à être vieux jeu. Je suis partie au Japon avec lui, toute une année. Ça m'a vaccinée. Je n'avais qu'une envie, retourner à la ferme. Et mes grands-parents, je ne les trouvais plus du tout vieux jeu. Je les trouvais normaux. Eux. Mes montagnes me manquaient, et la vie au Japon me paraissait complètement folle. Tous ces gens, partout. J'étais comme un hérisson au milieu des Galeries Lafayette, au premier jour des soldes d'été. Mes piquants, c'est là-bas qu'ils ont poussé, pour ne pas me faire piétiner.

C'est là que j'ai commencé à me dire que je m'étais trompée d'époque pour venir au monde. J'étais en fin d'adolescence et j'avais l'impression d'aimer vivre avec les valeurs de leur génération. Celle où le travail ne faisait pas peur. Celle où on fabriquait tout à la maison, sans dépendre de personne. La brioche qui lève au-dessus du fourneau. Les confitures sur le vaisselier. Les rondelles de pomme séchées sur des fils au grenier. Les oignons dans la grange. La cave remplie de conserves. Les œufs dans les nids. C'était aussi l'époque où on laissait les anciens mourir chez eux, avec des voisins qui venaient pour la veillée.

Celle où on prenait le temps de vivre, tous ensemble. En se respectant.

Et puis, pépé est tombé malade. J'ai assuré les tâches quotidiennes, naturellement. Quelques jours avant de mourir, il m'a fait promettre de reprendre sa ferme, parce qu'il savait que j'y étais dans mon élément. Mais aussi pour ne pas laisser se disloquer son troupeau qu'il avait mis tant d'années à constituer, en sélectionnant les meilleures vaches, en les croisant avec de bons taureaux, en passant sa vie aux champs et auprès de ses bêtes. Son troupeau, c'était l'œuvre de toute une vie. Il ne pouvait pas imaginer que sa mort la détruise. Comme si on jetait la collection entière de Picasso à la poubelle. Certes, ses vaches avaient moins de valeur aux yeux du monde que les toiles d'un grand peintre. Aucune valeur. Mais pas aux siens. Ça non, pas aux siens.

Quand il est mort, mémé s'est refermée comme une huître. Elle me faisait encore des sourires, on parlait un peu, elle préparait à manger, mais il n'y avait plus personne derrière les rideaux. Elle était partie avec lui. Le fond d'elle, celui qu'on voit derrière les yeux, quand on sait bien regarder. Pas comme ce con d'ophtalmo. L'âme, l'esprit, le for intérieur, la substantifique moelle, appelez ça comme vous voulez. Moi, j'appelle ça la caverne, parce qu'il faut une lumière au milieu du front pour la découvrir, un troisième œil, comme les spéléologues, et parce qu'on ne sait jamais sur quoi on va tomber. Elle peut révéler des trésors, ou être vide et froide. Il y a peu de gens qui ont une caverne intéressante à explorer. Antoine, c'est celle d'Ali Baba.

Mémé est morte trois mois après. De chagrin, a dit le médecin.

— Et votre grand-père avait raison pour la ferme ?

— J'y suis heureuse. Il ne me manque rien. Et j'ai gardé son troupeau. Les filles de ses meilleures vaches.

J'ai mis à chauffer le rôti préparé la veille. Il y en aurait pour trois, mais je n'ai pas envie de l'inviter. Le jeudi est consacré à Antoine. Et puis, ce flic, je ne le connais pas assez. On n'a pas gardé les cochons ensemble.

En entendant le 4 x 4, il se rend compte que j'attends de la visite.

— Je vais vous laisser. N'hésitez pas à m'appeler si vous avez le moindre souci.

Et il me tend une carte de visite. Je lui donne un petit morceau de fromage. Quand même, il a épluché les pommes.

Je les vois se croiser rapidement dans la cour. Et ça ne loupe pas. Antoine ne me dit même pas bonjour qu'il parle déjà de lui.

— Hé, hé ! Tu as au moins son numéro ?

— Tu veux sa carte de visite ? Lieutenant Delombre. Pour l'enquête de Jean-Raph. Oublie ! Il est froid comme un tank à lait.

Mais le lait est chaud dans la mamelle des vaches. C'est une fois en dehors qu'il perd en température. Pour lui, c'est peut-être pareil. Qui dit qu'il n'a pas été chaleureux un jour, et que le temps, les épreuves de la vie, les…

Il va arrêter, mon cerveau, de vouloir explorer les cavernes des autres ? Et de lui trouver des excuses ? Peut-être n'y a-t-il juste rien de bien dans ce type.

— Il avait encore des questions à poser ?

Et là, je me rends compte qu'il ne m'en a posée aucune concernant l'affaire. Il faut que je me méfie, les flics sont de savants manipulateurs pour obtenir des réponses.

Antoine le trouve très séduisant. Le contraire m'aurait étonnée.

Moi, je le trouve attachant. Le contraire aurait étonné mémé.

5

En allant la voir hier, j'ai réalisé que je n'avais pas de but précis, même pas de question pour l'enquête. Elle est bouclée. Le besoin d'établir dans quelle catégorie la ranger ?

Ou alors, j'y allais comme pour me rassurer. C'est bête, mais je rumine. Le contact de ses vaches, sûrement. Enfin, quand même ! Une femme seule au fin fond d'une vallée perdue, en lisière de forêt, et personne autour qu'un couple de petits vieux sourds et pétris d'arthrose, c'est quand même tentant pour les sales types. Elle sait se défendre ? J'aimerais bien voir ça !

Quand je suis entré à la fromagerie, elle ne s'est pas retournée, déjà bien occupée à le faire avec ses fromages. Je l'ai observée un instant de dos. Elle portait un grand tablier en toile cirée blanche, assorti à ses bottes. Il y a un code couleur dans les fermes ou quoi ? ! Verte pour la bouse, blanc pour le fromage, et quand elle est dans la paille, elle met des bottes jaunes ?

Il faisait une chaleur torride dans cette pièce, avec un taux d'humidité proche de la saturation. Ambiance forêt tropicale. Elle portait un bermuda court. Je voyais le bas de ses cuisses strié par des coulées de sueur. En haut, un débardeur violet un peu large, avec un dos nageur sans autres bretelles. Sans soutien-gorge, donc.

Je me suis approché. Elle suait de tous ses pores. Même trois heures de vélo en plein cagnard ne me font pas cet effet-là. Quelques mèches de ses cheveux ondulés restaient collées sur le front mouillé, tandis que les autres suivaient le mouvement de son corps, manipulant les moules pour en extraire les tommes, d'un petit mouvement sec. Elle connaissait parfaitement les gestes et ses muscles se contractaient dans une alternance rapide. Elle avait les bras d'une championne de ski de fond. Fermes, galbés, les veines apparentes comme des câbles sous la moquette. Le débardeur, assez ample, laissait entrevoir la naissance du pli de son sein, brillant.

Il en prenait vraiment un coup mon concept de la fermière boudinée – malgré la gaine – avec son fichu et sa jupe fleurie.

Ma température interne s'est mise à frôler le rouge, et ce n'était pas dû qu'à la chaleur de la pièce. Quand j'ai commencé à me sentir à l'étroit dans mon pantalon, j'ai changé de sujet et je lui ai parlé du cambriolage. Ça devait bien faire vingt ans que j'avais oublié cette sensation. Celle qui fait danser la samba aux neurones sur un rythme cardiaque endiablé, avant de les faire descendre entre les jambes. J'avais vraiment l'impression qu'ils avaient tous déserté ma boîte crânienne, et qu'il y avait du coton blanc en lieu et place de ma matière grise. J'ai sonné le rappel et ils m'ont sorti bêtement des statistiques débiles.

J'ai dû passer pour un idiot à lui aligner tous les chiffres de la délinquance du département, parce qu'elle a fini par clore le sujet.

D'accord, je m'inquiète trop.

Et elle me met les neurones en bataille.

Elle m'a proposé de poursuivre la discussion chez elle. Elle avait une tarte aux pommes à préparer. Elle a déposé un couteau et des pommes devant moi et s'est éclipsée un instant à l'étage. Devant les cinq pommes, j'ai repensé à ma samba encéphalo-génitale. J'avais envie de croquer dans l'une d'elles. Au diable, le serpent et la sentence de Dieu ! De toute façon, je n'y crois pas. J'ai pourtant couché avec des filles ces vingt dernières années. Pourquoi ne m'ont-elles pas fait cet effet-là ?

Elle est réapparue avec un tee-shirt propre et sec et un pantalon léger. Tout en épluchant les pommes, je l'observais discrètement, appliquée à pétrir la pâte sur le coin de la table. J'en ai déduit qu'elle n'avait toujours pas de soutien-gorge, parce que je voyais ses deux tétons venir se cogner au tissu, au rythme du pétrissage.

Et là, je me suis senti franchement à l'étroit dans mon pantalon. Nom de Dieu ! Rien depuis vingt ans et là, deux fois à quinze minutes d'intervalle. Un festival !

Après, elle m'a parlé de sa famille, de ses grands-parents, morts de maladie et de chagrin, ce qui a redonné de l'oxygène à mon entrejambe. Ce n'est pas dans ma famille qu'on mourrait de chagrin pour l'autre. Sous les coups, plutôt.

Et puis, j'ai entendu un véhicule se garer nerveusement dans la cour, d'où le rôti et la tarte aux pommes. Je lui ai quand même laissé ma carte, au cas où. Mais, au cas où quoi ?

C'est dommage, ça sentait bon. Maintenant, je n'avais plus vraiment de raison de venir la voir, d'autant que je ne lui ai posé aucune question pour l'enquête. J'espère qu'elle ne s'en sera pas rendue compte.

Tu parles !

En sortant, j'ai croisé un type immense. Barbe de trois jours. Sourire sincère. Un regard doux. Malabar bi-goût : force/douceur. Ce n'est certainement pas l'image qu'elle a eue de moi la première fois, mon pistolet à la main dans sa direction à aboyer comme un berger allemand. Je suis un vieux bonbon amer. Pour une femme, à choisir entre lui et moi, je suis perdant à coup sûr.

Pourquoi ces paysans me renvoient mon image comme un boomerang ? Paf, dans les dents. Et plus ça va, plus je me dis que c'est bien fait pour ma gueule, que je mérite bien d'être seul, avec ma psychorigidité, mes stéréotypes débiles et mon attitude agressive.

D'un autre côté, ils semblent tous vivre sur un nuage ici, comme s'ils ne savaient pas ce qui se passe dans la vraie vie. Le p'tit vieux avec son cornet de frites dans l'oreille, le curé à l'œil au beurre noir qui retire sa plainte, l'agricultrice qui vit seule dans sa montagne, le malabar au sourire d'ours en peluche.

Moi, au moins, j'ai les pieds sur terre, j'ai conscience du monde et de la vilénie humaine, et je m'en sortirai parce que j'en ai conscience. Je suis né dedans, j'ai grandi dedans. Je sais ce que c'est, comment ça marche, comment on s'en sort, si on s'en sort. Marie – ça y est, je commence à l'appeler Marie – n'a pas conscience du danger, elle prend des risques tous les jours parce qu'elle n'a pas conscience du danger. Heureusement qu'il y a des gens comme moi pour protéger des personnes comme elle.

Je suis parti un peu fâché, parce que je ne sais pas qui est ce type qui lui tourne autour, et pour qui elle prépare des bons petits plats. Et dire que j'ai moi-même épluché les pommes pour une tarte qu'ils vont manger rien que tous les deux. Je ne sais pas s'il sera bientôt à l'étroit dans son pantalon, et s'il va le garder longtemps, ni pourquoi je l'étais tout à l'heure, ou du moins si, je le sais, parce que rien que de repenser à ses tétons pointus contre le tissu de son tee-shirt, je bande à nouveau.

6

Oh Marie, ta tarte aux pommes, encore meilleure que jamais,

Que ferait mon estomac, s'il ne te fréquentait pas.

Mais quel était donc cet homme, qui de chez toi s'en allait ?

Je ne le connaissais pas, tu sais que je veille sur toi ?

Tu dis qu'il n'a pas de charme, qu'il est froid, dur et rugueux,

C'est drôle, au premier abord, je l'ai trouvé plutôt triste.

Ah, il a pointé son arme ? Sur toi, oh, mais c'est odieux…

Encore de la tarte ? D'accord. Le gros bout si tu insistes.

7

Quel con ! Mais quel con ! Ça m'énerve ces types qui débarquent de la ville en jouant les experts, en croyant tout savoir sur tout, et qui vous prennent pour des ploucs de la campagne, ignorants et vulnérables. Je lui ai pourtant répété que je savais me défendre, que je n'avais pas peur. Il a quand même fallu qu'il vérifie. Tant pis pour lui. Il m'a fait peur, il fallait bien que je lui fasse payer son idée débile. Je ne sais pas si j'entendrais encore parler de lui ! Moi qui commençais à le trouver attachant.

Je recueille les animaux blessés, mémé. Mais dans la catégorie humaine, j'attire les malades.

8

Araignée velue
Petite bête inoffensive
Peur irrépressible

Je suis un crétin ! Un vrai ! Hors compétition !

J'aurais mieux fait de ne pas y aller, de ne même pas me lever ce jour-là, cette idée grotesque ne m'aurait peut-être pas traversé l'esprit. Mais non, il a fallu que je m'entête dans mon obsession, que je vérifie par moi-même que j'avais raison. Cela faisait une semaine que j'avais vu Marie pour la dernière fois, en la laissant avec cette baraque de muscles et leur tarte aux pommes et en remballant mes neurones danseurs. J'étais obsédé par sa solitude. Un mauvais pressentiment. Mes concepts à la con. J'aurais dû me méfier, celui de la fermière avait volé en éclats, et je m'accrochais bêtement aux autres, sûr de moi.

Je suis monté aux Hauts-Bois en milieu d'après-midi. J'ai laissé ma voiture en contrebas de la ferme et je suis passé à travers champs. Si elle m'avait vu, j'aurais toujours pu arguer que je venais repérer un peu les alentours, pour l'enquête. De loin, je l'ai vue sortir de la fromagerie et entrer dans la maison. Ça allait être l'heure de la traite, elle devait probablement boire un café avant de commencer.

J'ai poursuivi jusqu'à l'angle de la bâtisse. Albert était couché devant la porte. Je l'avais oublié celui-là. Mais vu la dose de caresse dont il avait bénéficiée, il était censé m'avoir adopté. Obéissant, je n'ai eu qu'à lui dire de se coucher pour qu'il s'exécute. La porte était entrouverte, et on entendait les infos de seize heures à la radio. Elle était dans sa cuisine, assise à table, me tournant le dos, un café dans une main, tournant les pages du journal local de l'autre. J'ai un peu hésité, mais après tout, je ne voulais lui faire aucun mal, juste la mettre face à la réalité. N'importe qui pouvait entrer chez elle et lui sauter dessus. Ce que j'ai fait.

La main droite sur la bouche, la gauche au-dessus de son épaule pour l'immobiliser.

Et là, je n'ai pas compris la suite des événements. Je me suis retrouvé à plat ventre sur le sol de la cuisine, la joue écrasée contre les tommettes froides et rugueuses, ma main droite tellement tordue que le moindre mouvement était insupportable et mon bras gauche écrasé sous son pied.

— Laissez-moi vous expliquer… ai-je tenté.

Ce à quoi elle a répondu par une torsion plus prononcée de ma main. J'ai crié, mais elle n'a pas relâché la tension. Je l'ai vue chercher quelque chose dans sa poche arrière, puis j'ai senti qu'elle m'attachait les mains dans le dos. Elle a appuyé ensuite derrière chacun de mes genoux, les faisant involontairement plier, tout en les ligotant aux mains. Et puis, elle s'est reculée, essoufflée.

— Je ne voulais pas vous faire de mal, ai-je retenté.

— Ah oui ? Et pourquoi vous entrez comme ça chez

les gens et que vous leur sautez dessus sans prévenir ? Pour dire bonjour ?

— Pour vous montrer que n'importe qui pouvait entrer chez vous. Que vous n'êtes pas en sécurité.

— En effet, il n'y a qu'à vous regarder. Et maintenant, je fais quoi ? J'appelle les gendarmes ?

Même pas drôle…

J'aurais eu du mal à me justifier auprès des collègues.

Quel crétin ! Enfin, de là à savoir qu'elle était ceinture noire de karaté, ou d'aïkido, ou de self-défense ou d'un truc dans le genre… Ça doit être son seul souvenir intéressant du Japon.

Elle s'est ensuite mise à hurler.

— J'étais bien tranquille avant que vous ne débarquiez de votre ville, là, avec vos idées à la noix de délinquance, de risque, d'agression et de je ne sais quoi d'autre. Vous ne pouvez pas laisser les gens tranquilles ? Je vous avais dit que je savais me défendre. Mais non, vous, les citadins, vous savez tout mieux que tout le monde.

Elle était dans une telle rage que je n'ai pas jugé bon d'en rajouter. Je l'ai fermée en attendant que l'orage passe. Après tout, j'avais tort. Elle savait se défendre. Pas de doute. D'ailleurs, je me suis fait avoir comme un bleu. Vingt ans dans la gendarmerie, et une petite nana de quarante-cinq kilos me met au sol, avant que j'aie le temps de dire ouf. Je voulais tellement lui prouver le contraire que je n'ai même pas réfléchi à ce que je faisais, à la peur que cela provoquerait. C'est à moi que je voulais prouver que j'étais important, protecteur, rassurant. Au lieu de cela, je suis un pauvre type inutile et méchant. Ça fait trente ans que j'endosse le costume, pourquoi ça changerait aujourd'hui ?

Je lui ai demandé de me détacher, en m'excusant,

en lui affirmant que j'avais compris la leçon. Elle m'a lancé un regard noir, en finissant son café. Il devait encore être chaud tant cela avait été rapide pour m'immobiliser et me mettre hors d'état de nuire, dans une position plutôt humiliante. Et là, je me suis mis à espérer que personne n'ait la mauvaise idée de venir. Surtout pas le tas de muscles avec son regard gentil.

— C'est mon grand-père qui avait raison. Toujours avoir sur soi un couteau suisse et un morceau de ficelle. Maintenant, mes vaches m'attendent.

Et puis, elle est partie, en me laissant comme ça, au milieu de sa cuisine. Bien fait pour toi, p'tit con ! D'autant que désormais, je savais combien pouvait durer une traite complète. Au moins deux heures. J'ai bien essayé de bouger, mais elle avait serré le lien beaucoup trop fort. Je ne pouvais même pas me coucher sur le côté.

J'ai donc pris le parti d'attendre et de réfléchir à ma vie et à ce que je devrais changer pour ressembler au malabar bi-goût et donner aux autres cette agréable impression. Côté muscles, je me défends, mais pour la douceur, ce n'est pas gagné.

J'ai dû m'assoupir un instant car en ouvrant les yeux, un filet de bave s'aventurait sur le coin de la lèvre. J'avais surtout dans mon champ de vision une petite fille qui me regardait sans dire un mot.

— Bonjour, comment tu t'appelles ? me suis-je aventuré, voyant en elle une possible levée de mes liens.

Aucune réponse. Elle continuait à me fixer comme si elle m'apprenait par cœur. J'en ai fait de même. Elle devait avoir quatre ans environ, un jean simple et un tee-shirt rose pâle surmonté d'un gilet tricoté. Un visage rond et des joues rebondies, parsemées de taches de rousseur. De grands yeux verts, un petit nez en trompette. Et deux magnifiques couettes au-dessus des oreilles.

Les dieux sont tombés sur la tête. Voilà le film qui m'est ensuite revenu à l'esprit. J'étais la bouteille de Coca tombée dans le désert du Kalahari, un truc insolite qu'on observe avec méfiance et attention.

— Regarde, petite, il doit y avoir des ciseaux dans le tiroir, tu veux bien les chercher et me détacher, s'il te plaît ?

Toujours pas de réponse. Elle a fait le tour de ma pauvre carcasse pathétique et s'est accroupie à quelques dizaines de centimètres de moi, pour me regarder de plus près. Elle sentait la framboise.

— Tu ne veux vraiment pas me détacher ?

Et puis, elle est partie en courant. J'ai vaguement entendu la porte de la salle de traite, et puis son retour dans les graviers de la cour, toujours en courant. Elle est arrivée tout sourire.

— J'ai pas le droit de te détacher, mais je peux parler avec toi autant que je veux.

Formidable !

Eh bien, allons-y !

— Tu t'appelles comment ?

— Suzie. Et toi ?

— Olivier. Et tu es qui ?

— Ben, Suzie. Et toi ?

— Ben, Olivier. Mais, je veux dire… c'est qui ta maman ?

— Ben, c'est maman.

Ça avançait bien !…

— Olivier comme l'arbre ?

— Oui, comme l'arbre. Tu connais le nom des arbres ?

— De tous ceux de la forêt. On va souvent se promener dans la forêt, alors je les connais tous. Le charme, le hêtre, le chêne, le châtaignier, le bouleau, le…

— Et il y a des oliviers dans ta forêt ?

— Non, mais c'est l'arbre préféré de maman. Et puis, j'aime bien les olives sur la pizza, alors elle m'a expliqué d'où ça venait.

— Tu habites ici ?

— Oui.

— Et ta maman, c'est la dame qui est en train de traire les vaches ?

— Ben, oui, m'a-t-elle répondu avec une évidence qui rend la question totalement absurde.

J'aurais dû m'en douter. Mais elle ne m'a jamais parlé de sa fille.

— C'est ma maman qui t'a attaché ?

— Oui.

— Pourquoi elle t'a attaché ?

— Parce que je lui ai fait peur.

— Tu vends quelque chose ?

— Euh… non.

— Alors, pourquoi t'es venu ?

Ça, c'est la question que je me posais depuis un bon moment.

Et puis, il y a eu cette espèce de monstre qui est venu de sous le meuble de la cuisine. Une grosse araignée velue. Je déteste les araignées. Peu de gens le savent. Ça fout un peu la honte de faire un mètre quatre-vingt-quinze et d'avoir peur des araignées. Les serpents, les souris, les chats, je m'en fous, mais les araignées, je ne peux pas. La bestiole a dû le sentir parce qu'elle est venue pile dans ma direction. Impossible de bouger. J'ai soufflé dessus, mais à plat ventre, ma capacité pulmonaire était réduite. J'ai soufflé plusieurs fois, paniqué.

— Elle te fait peur ? Tu veux que je la ligote ?

Je l'ai regardée, un peu agacé. C'est possible, l'humour deuxième degré à son âge ? Mais elle arborait un grand sourire, alors j'ai souri aussi. Et puis, elle l'a prise dans sa main et l'a jetée dehors, en concluant :

— Les petites bêtes ne mangent pas les grosses… T'as déjà vu une poule manger un mammouth ?

Non, en effet.

Si elle savait pourquoi j'ai peur…

— Et ton papa ? Il n'est pas là ?

— Non. J'ai pas de papa. T'as quel âge ?

— Trente-huit ans.

— T'es plus vieux que maman.

— Et toi ?

— Cinq ans et demi. L'année prochaine, je vais au CP, et l'école, c'est trop bien ! T'as une amoureuse ?

— Euh… non.

— Ben moi, j'ai un amoureux, il s'appelle Louis et il est gentil. Il me donne un bout de son goûter. Et…

Finalement, elle a réussi à faire passer le temps. Elle m'a même demandé de l'interroger sur la table de deux, qu'elle était en train d'apprendre. Je n'ai pas trop de notions, mais apprendre les tables à son âge, ça m'a semblé plutôt prématuré. Cela dit, vu sa vivacité d'esprit, ça pouvait coller. En dehors des membres ankylosés, je me faisais doucement à cette inconfortable situation. Ma vessie de moins en moins. L'adrénaline de l'araignée. Puissant diurétique.

— Tu ne veux pas aller dire à ta maman que le monsieur a très envie de faire pipi et lui demander si tu peux le détacher ?

— Si tu veux !

Un espoir de sortie de crise. C'était vrai, en plus. Je n'allais pas non plus me pisser dessus. La situation était déjà assez humiliante.

Elle est revenue quelques minutes plus tard, en

m'annonçant que non, elle n'avait pas le droit de me détacher et que sa maman lui avait dit que je devais me retenir. Mais qu'elle devait préparer la table pour ce soir. Ce qu'elle a fait, consciencieusement. Et comme j'étais entre la table de la cuisine et le vaisselier, elle a pris soin de m'enjamber une dizaine de fois.

— Tu manges avec nous ?

— Je ne crois pas, non…

— Tant pis. T'étais rigolo.

Je n'en doute pas.

9

Suzie avait préparé la table et s'était installée, près du lieutenant, ligoté à ses pieds, avec une feuille et ses crayons de couleur, à lui réciter la table de multiplication par deux, comme si la situation était des plus normales. Le tableau était assez incongru. Cela m'amusa. La peur de tout à l'heure s'était atténuée. Cependant, m'effrayer ainsi était impardonnable.

— Allez, Suzie, on monte se laver !

Elle s'est levée, a déposé son dessin au sol, sous le nez du lieutenant, et filé dans les escaliers. Une araignée avec un joli sourire, un nœud rose autour de la tête et des petits cœurs au bout des pattes. Je ne comprenais pas le sens de ce dessin. Je ne comprends pas toujours tout chez Suzie.

Il commençait à avoir les mains légèrement violettes, j'avais dû serrer un peu fort. J'ai saisi un grand couteau de cuisine et j'ai coupé les liens, ce qui lui valut un geignement de douleur. Ça lui apprendra. Je lui ai juste dit de disparaître et je suis montée rejoindre Suzie, en guettant par la fenêtre pour être sûre qu'il parte.

Il a mis un certain temps à quitter la maison. Il a dû avoir du mal à se lever et à tenir en appui sur ses chevilles, parce que je l'ai vu traverser la cour en boitant et en se frottant les poignets. Il s'est arrêté un peu plus bas pour pisser. Au moins un litre tellement ça a duré. Après, il a disparu derrière le bâtiment, toujours en boitillant, comme on marche pieds nus sur du gravier, en début d'été.

En redescendant, j'ai compris pourquoi il avait mis tout ce temps. Il avait pris les Post-it sur le bureau et en avait collé partout.

Un seul mot.

Sur le placard, « Pardon » ; sur la table, « Pardon » ; sur la vitre au-dessus de l'évier, « Pardon » ; sur la huche à pain, « Pardon » ; sur la porte des toilettes, « Pardon ». Le dessin de Suzie avait disparu, et un autre Post-it avait pris sa place où il disait : « Merci, celle-ci est charmante. »

À peine détaché, il redevenait attachant.

Je n'aime pas ça.

Ces personnes inqualifiables, qui se rendent détestables et que l'on n'arrive cependant pas à détester. Ils vous piègent, et vous avez l'impression d'être pris au milieu de la toile, telle une mouche bigleuse, qui n'a pas regardé où elle allait.

Je n'avais pas prévu de me trouver engluée dans la toile d'un prédateur, et de me laisser bouffer sans réagir.

Qu'elle vienne, l'araignée, même avec des cœurs au bout des pattes et un sourire angélique, je sais me défendre.

10

Un mot peut-il à ce point vous obnubiler, que vous le voyez partout, vous l'entendez sans arrêt ? Il vous passe sur le front comme un avion qui tire une banderole publicitaire au-dessus d'une plage bondée d'un milieu d'été, dans des va-et-vient incessants. Vous avez le sentiment qu'il est collé sur votre œil comme un message inscrit au rouge à lèvres sur un miroir. Celui-ci renvoie encore l'image, mais il y a ce mot.

— Disparaissez !

C'est la seule chose qu'elle m'a dite en me détachant. Et puis, je l'ai vue disparaître dans l'escalier. Je pensais que je pourrais parler avec elle, m'excuser encore, essayer de lui faire comprendre mon geste. Encore eût-il fallu pour cela que je le comprenne moi-même. Peu importe mes explications douteuses, elle n'était de toute façon pas décidée à les écouter.

Vous est-il déjà arrivé de vouloir repartir en arrière pour agir autrement dans une situation précise ? Vivre une seconde chance ? C'est précisément mon cas, et c'est bien la première fois. Première fois aussi que mon système binaire ne fonctionne pas.

Première fois que j'ai le sentiment que mon coup de crayon a changé, devenu plus doux, plus rond, depuis quelques jours. Première fois qu'une petite fille me dit que je suis rigolo. La bouche des enfants est source de vérité, paraît-il. Première fois que j'ai honte de ce que j'ai fait. *Shame on you, poor lonesome cowboy.*

Alors, j'ai écrit « Pardon », un peu partout sur des bouts de papier, même si mon poignet droit était douloureux rien qu'à tenir un stylo. Que dire des chevilles et des genoux !

En sortant, je suis allé me soulager dans le fossé. Un moment d'extase, les yeux au ciel, à la recherche de la Grande Ourse. On n'en prend pas conscience tant c'est automatique, mais, finalement, pisser procure un plaisir assez intéressant, linéairement proportionnel au degré de remplissage vésical. Je devrais me retenir plus souvent…

J'ai un peu marché avant de rejoindre ma voiture, pour me dégourdir les articulations et calmer la brûlure de remords qui envahissait ma poitrine, et puis, je suis rentré chez moi, comme un con, sans savoir si elle voudrait un jour me reparler. « Disparaissez ! » C'était une bonne suggestion. Redevenir poussière, puis s'éparpiller avec le vent pour n'être qu'une insignifiante absence. De toute façon, à qui manquerais-je ? Il n'y a guère que Madeleine qui serait triste.

Je l'ai trouvée affaiblie ce week-end. Depuis qu'elle est tombée dans sa cuisine, elle décline doucement. Je ne veux pas la mettre en maison de retraite. Je déteste ces endroits où l'on stocke les vieux pour attendre la mort, en faisant semblant de les rendre joyeux avec des ateliers peinture et la fête de carnaval. Turlututu chapeau pointu, papy. Et mémère Lucienne qui bave dans son sans-gêne au lieu de souffler pour faire pouiiiiiiit. Ces endroits qui sucent comme des vampires le moral des pensionnaires et le compte bancaire de leur descendance. De toute façon, le mien ne suffirait pas. Alors, j'ai pris une dame du village, pour venir matin, midi et soir, s'occuper de son quotidien. La fameuse aide ménagère qui me croque l'arrière-train sous l'œil avide du charognard qui s'apprête à fondre sur sa proie et finir de la dépecer de ses derniers biens. Sauf le piano. Celui-là, il faudra que l'huissier me passe sur le corps pour le récupérer. Mais nous n'y sommes pas. Pour l'instant, je suis en Ariège pour éviter tout cela.

Même si je ne suis pas son fils, ni son petit-fils, Madeleine a été ma mère et ma grand-mère à la fois. Je lui dois bien ça…

Au moins, elle ne sera pas maltraitée. Je ne supporterais pas, après sa vie toute pleine de malheurs, de sacrifices pour m'élever, qu'on lui parle méchamment, qu'on la laisse dans ses urines toute la journée, voire qu'on la frappe. Je deviendrais dingue. Face à une injuste souffrance, je suis capable de tout casser. Les plus gros dégâts ? Le jour où je suis arrivé en salle de techno, en quatrième, et que j'ai vu Achille en jupe sur une table au milieu de la classe, en larmes, avec les autres autour qui se foutaient de lui. C'était mon seul ami au collège. Tout le monde se foutait de moi parce que j'étais mal fringué, et de lui parce qu'il avait des attitudes de fille. Ils l'appelaient Achille-talon aiguille. Il en souffrait. Non seulement il se sentait différent, à un âge où l'objectif vital est d'appartenir à un groupe, mais en plus se faisait railler à longueur de journée. Moi non plus je n'appartenais pas au groupe. Je n'ai jamais appartenu à aucun groupe. Je me sentais mal partout, sauf avec lui. Parce qu'il était sensible. On se comprenait. Ce jour-là, ils l'avaient chopé dans un coin, lui avaient arraché son pantalon et son slip et enfilé une jupe rose à carreaux. Achille m'a regardé avec tristesse et imploration, provoquant le déclic. La grenade qu'on dégoupille. J'ai explosé. J'ai d'abord foutu un coup de boule à celui qui tenait son pantalon, que j'ai lancé à Achille. Après, j'ai tout cassé. Ils ont mis cinq bonnes minutes, à trois profs, pour me maîtriser. Chaises et tables renversées, matériel et outils partout dans la pièce, deux vitres brisées, un robinet arraché. Bien sûr, les auteurs tabassés.

J'ai été exclu pendant une semaine après que Madeleine eut été convoquée. Elle s'est confondue en excuses devant le proviseur, mettant en avant mon enfance difficile, et m'a dit en sortant du collège qu'elle était fière que j'aie réagi, certes un peu moins dans la façon de le faire.

Achille n'est jamais revenu. Ses parents l'ont changé d'établissement. J'ai été encore plus isolé qu'avant. Tout le monde avait peur de moi. Mais au moins, ils ne se moquaient plus.

Alors que personne ne fasse de mal à Madeleine.

Et puis, en restant à la maison, elle gardera ses souvenirs, ses photos sur la cheminée, sa vaisselle ébréchée, cadeau de mariage, ses chats et sa petite fontaine derrière la maison.

Madeleine a encore toute sa tête, un peu moins ses oreilles et ses yeux. Elle aurait presque pu continuer à coudre, mais elle a préféré me donner ses deux machines, l'ancienne, à pédale, et la nouvelle, que je lui ai payée il y a dix ans. Elle voit encore le paysage devant sa porte, le fond de son assiette et les journaux quand c'est écrit gros, mais pour mettre le fil dans le chas, c'est comme de jouer à la roulette, et ça l'énerve.

Ce qui me plaît moins, c'est l'obsession qu'elle a de faire venir le notaire. Parce que je sais que le suivant, ce sera le curé…

Ce matin, nous sommes mercredi et j'ai encore la trace des liens d'hier aux poignets. Ça, c'est la partie visible de l'iceberg. En profondeur, après cet épisode, j'ai le sentiment d'être minable, d'avoir raté ma vie et de n'être, à trente-huit ans, qu'un pauvre flic qui croit tout savoir, incapable d'entendre ce que les autres me disent, incapable de leur faire confiance. Incapable de m'attacher à quelqu'un, de l'aimer, de construire quelque chose ensemble. Incapable de ressentir quoi que ce soit d'agréable. Sauf là-haut, à la ferme.

Quand j'en parle à Madeleine, elle me dit que ce n'est pas de ma faute, que c'était dur quand j'étais petit, et que je suis devenu aussi dur que ma vie, mais qu'au fond, je suis un homme bien, et qu'un jour je trouverai quelqu'un qui saura gratter un peu, pour le voir.

Je vais envoyer un grattoir à Marie avec le mode d'emploi.

En attendant, pour me sentir moins minable, il faut que je me fasse pardonner pour hier. Je ne peux pas rester sur ce « Disparaissez ». J'aimerais qu'elle me dise qu'elle m'excuse, l'entendre de sa bouche. J'ai appelé Madeleine au secours, pour savoir quoi faire.

— Des fleurs, mon chéri. Les fleurs apaisent tout. Un beau bouquet avec un mot gentil.

Je préviens l'adjudant Gauthier que je serai en retard ce matin. Une course urgente. Je fais assez d'heures supplémentaires pour la fonction publique.

11

Je me disais bien que j'avais entendu une voiture. Je la vois repartir en sortant de la fromagerie. Interflora qui vient chez moi ? Ça doit être une erreur. S'approche alors de moi, en titubant, un énorme bouquet duquel dépassent deux jambes familières.

— Mamannnnnn, regaaaaaaarde ! J'avais jamais vu un aussi gros bouquet.

Moi, non plus.

Un ensemble d'une bonne cinquantaine de roses de toutes les couleurs, tellement lourd que Suzie peine à le porter. Je l'en soulage et nous rentrons à la maison pour lire le petit mot agrafé sur l'emballage.

— C'est de qui, maman ? C'est de qui ? me demande-t-elle en sautillant autour de moi comme un cabri au milieu des papillons.

— Je n'en sais rien. Nous allons regarder…

J'ai ma petite idée. Soit c'est Antoine pour ma tarte aux pommes, mais elle n'était pas meilleure que les autres fois, soit le type qui s'y prend comme un manche et qui reste pourtant attachant.

En détachant le mot, je me dis que je n'ai même pas un vase aussi grand pour les accueillir. De toute façon, comme disait mémé : « Tu auras beau avoir dix vases, aucun ne correspondra jamais au bouquet que tu reçois. » Je n'en ai qu'un. Le sien, qu'elle avait reçu pour son mariage. Mais il est tout petit…

Tu n'as qu'à te marier et convier une centaine de personnes. Dans le lot, tu auras bien quelques vases. Encore faut-il trouver un candidat pour dire « oui », et la centaine d'invités.

Mmmh. Ça s'achète bêtement aussi un vase. Il faut que j'en parle à Marjorie. Elle doit avoir de bonnes adresses.

Je suis un crétin,
Ça, vous le savez,
Mais j'aimerais bien
Être pardonné.
Par ces quelques roses,
Veuillez m'excuser,
Et je vous propose,
D'ensemble dîner.

Un flic poète, ça alors ! Le message est touchant. Il doit vraiment regretter. Il y a de quoi. Mais j'en connais d'autres qui ont fait pire et ne se sont jamais excusés. J'ai espéré pendant plus d'un an que l'autre ordure revienne me voir pour me dire qu'il était désolé pour ce qu'il avait fait. Mais rien. Ce qui confirma que c'était un pur salaud, sans état d'âme. Ou moi, une pauvre fille tombée dans le panneau.

Les deux, mon capitaine ! Le pur salaud sans état d'âme fond plus facilement sur sa proie quand celle-ci est naïve et triste.

Mais Marie, attendre de plates excuses d'une brute épaisse sans émotion, c'est comme espérer la levée d'un gâteau sans levure. Du temps perdu.

Alors que là…

Mémé me disait aussi qu'on ne peut pas refuser les excuses de quelqu'un, quand elles sont sincères. Il faut les utiliser comme une éponge humide sur le tableau noir et se laisser la chance de réécrire une autre leçon.

Mais moi, justement, cette histoire avec Justin m'a servi de leçon. Je suis devenue méfiante. De toute façon, pépé me conseillait, outre la ficelle et le couteau dans la poche, de toujours prendre le temps de réfléchir.

Demain, c'est jeudi, j'en parlerai à Antoine. Quand je ne sais pas quoi faire, il réfléchit à ma place. C'est confortable.

12

T'es trop bête, mon gars, d'avoir pensé qu'elle répondrait le soir même pour accepter le dîner. Vingt ans à attendre la samba dans la tête et ailleurs et quelques heures sont déjà trop longues ! Et alors ? Ça dérange quelqu'un que je passe du statut de vieux célibataire pathétique et antipathique à celui de boîte à samba pour neurones amoureux ? Parce que c'est de cela qu'il s'agit, non ? D'amour ? Ou alors, c'est le manque ? Mais alors, j'irais plutôt vers une fille facile, ou vraiment jolie. Marie n'est pas jolie au sens populaire. Elle ne ferait pas la couverture de *Femme actuelle*. Elle est femme, mais pas actuelle. Elle vient d'un autre temps. Elle n'est pas facile non plus. Donc, soit je suis maso, soit je suis amoureux.

Comme il est long d'attendre, sans connaître sa réaction. Est-ce qu'elle les a jetées à la poubelle, est-ce qu'elle a mis le bouquet sur la table de la cuisine ? Je préférerais. Il m'a coûté un bras. Mais j'aurais donné les deux pour me faire pardonner. J'attends et je médite.

C'était plus simple à Toulouse. Pas besoin de réfléchir. Le réveil sonnait, je partais à la brigade, m'occuper de mes affaires en cours. Je n'allais pas vraiment sur le terrain, mais dans les dossiers de synthèse qu'on me demandait de faire, je voyais passer tous les travers humains. Petite délinquance, trafics en tout genre, violences conjugales, conflits de voisinage, voitures brûlées. Je rentrais chez moi le soir. Dessiner un peu, regarder le sport à la télé, et repartir le lendemain. Sortir le week-end, voir Madeleine ou faire du VTT. Aller sauter de temps en temps la voisine du dessus qui me faisait de l'œil devant la boîte aux lettres. Sans grande conviction. Ni samba. Juste pour l'hygiène de vie. Sans oublier mes capotes, histoire de ne pas être pris au piège neuf mois plus tard. Quand elle a commencé les scènes conjugales, j'ai cessé de monter la monter et j'ai continué l'hygiène de vie sous la douche. D'une pierre deux coups.

La seule nana pour qui j'ai eu des sentiments, c'était la petite-fille de la bourgeoise chez qui nous logions, Madeleine et moi. Elle avait dix-sept ans, j'en avais quinze. On a fait l'amour dans la grande armoire à linge du rez-de-chaussée. Ma première fois. Pas elle. Rosa-Lyne. J'étais raide dingue d'elle. Mais elle était trop riche et m'a fait comprendre que nous deux, ce n'était pas possible : « Tu comprends, ma famille ne sera jamais d'accord. Il faut que je rencontre un garçon de bonne famille. » Non, je ne comprenais pas. On n'était pas en Inde. À quelle caste j'appartenais ? Je n'avais pas déjà assez souffert ? Ça allait me suivre toute ma vie ?

Elle s'est mariée deux ans après, avec un garçon de bonne famille. Et ils ont eu deux enfants de bonne famille. Et ils sont venus faire leurs repas de bonne famille pour lesquels Madeleine se mettait en quatre. Trop bonne Madeleine. Bonne tout court. Mal payée. Mais sa patronne, la fameuse bourgeoise, avait de la tendresse pour nous. Ou de la pitié ? Madame Richard laissait à Madeleine le loisir de se servir de la vieille machine à coudre à pédale. De toute façon, elle n'en faisait rien. Moi, j'ai eu le droit de poser mes doigts sur le piano. Quand sa petite-fille venait prendre des cours particuliers, je me cachais derrière le rideau et je m'imprégnais de la musique. Et quand il était libre, j'allais pianoter. Je me suis initié comme ça. À l'envers. Je n'ai pas appris à jouer en lisant les notes, j'ai appris les notes en jouant ce que j'avais entendu. Et puis, Rosa-Lyne a arrêté les cours. Elle s'ennuyait. Pas grave, je connaissais le solfège. J'étais autonome. Et Madame Richard déçue. Elle m'a acheté quelques partitions et venait s'asseoir dans la chauffeuse à côté du piano pour m'écouter jouer. Surtout quand elle a senti la mort qui rôdait. Elle me demandait sans arrêt la valse posthume de Chopin. Madame Richard était fripée comme une vieille pomme oubliée sur un coin d'étagère à la cave, mais qui a eu le bon goût de ne pas pourrir, parce qu'elle m'a dit un jour : « Quand je serai partie, mon fils vendra la maison, vous devrez partir, mais vous emmènerez avec vous deux choses, la machine à coudre et le piano, c'est écrit dans mon testament. » J'étais fou de joie. Un Pleyel. Elle est morte deux mois après l'emménagement dans mon premier logement, le concours de gendarme en poche. Madeleine est retournée dans son petit village de la vallée d'Aspe, avec sa machine à coudre, et moi, dans mon appartement, avec mon piano.

Pourquoi elle ne m'appelle pas ?

Après tout, elle n'en a peut-être rien à faire de moi et pensait être débarrassée avec ce « Disparaissez ». Ou alors, c'est son molosse qui fait la loi. Pas Albert. Loin d'un molosse, c'est un chien intelligent et fin. Non, le géant qui sourit. *Tu seras gentil d'arrêter de tourner autour de ma copine* – sourire – *ou je te fracasse la tête*.

Le malabar bi-goût. Celui qui a mangé notre tarte aux pommes, dont elle a pétri la pâte avec ses tétons pointant sous le tee-shirt.

Je vais aller prendre une douche chaude…

13

Antoine a eu du mal à calmer son fou rire quand je lui ai raconté mes aventures. Il imaginait le lieutenant, ligoté dans ma cuisine, à supplier Suzie de le détacher pour aller pisser.

— Il t'arrive toujours des choses hors du commun, à toi !

Mais il a quand même avoué qu'il ne s'était pas moqué de moi avec le bouquet de roses. J'ai dû chercher un seau à la fromagerie pour le mettre dans l'eau. Je l'ai quand même recouvert d'un papier alu, pour faire disparaître la pub pour les ferments lactiques.

— Les personnes qui reconnaissent leurs erreurs valent la peine qu'on s'intéresse à elles. Que risques-tu à accepter ? Il n'osera plus te toucher après ça ! Au pire, tu passes une soirée minable et tu ne donnes pas suite. Au mieux, tu passes une soirée agréable et plus si affinités. Il n'est pas désagréable. Physiquement, je veux dire. Ça fait combien de temps que tu n'as pas pris un peu de plaisir, avec ton anatomie ?

— La tienne le sait très bien !

— Rien depuis ? s'est-il étonné.

Il sait pourtant que je lui dis tout. Même ça.

— Raison de plus, a-t-il renchéri.

— Et s'il me laisse tomber, comme ce salaud de Justin ?

— Et s'il ne te laisse pas tomber ? Tu ne crois pas que tu as le droit de passer à autre chose ? Alors parce que tu as eu une sale expérience, tu vas faire une croix sur les hommes ? Et Suzie ?

— Suzie, elle t'a toi. Enfin, quand même, depuis qu'il a débarqué ici, regarde ce qui s'est passé ! L'interpellation, l'agression surprise. Il est froid, désagréable.

— Les types froids et désagréables ne connaissent pas l'adresse des fleuristes.

— Oui, mais il est triste, gris, dur et…

— Attachant, tu me l'as dit toi-même. Raison de plus, pour mieux le connaître.

— Je ne sais pas. J'ai besoin de réfléchir.

— Alors, laisse-le un peu mariner, tu verras bien ce qu'il fait…

À y réfléchir, c'est moi qui suis froide et désagréable. Ce type m'envoie un bouquet plus gros que Suzie pour s'excuser de son erreur, pour m'inviter à dîner, et moi, j'ai besoin de réfléchir.

Mais j'ai peur. Je suis bien comme je suis, maintenant, avec Suzie, avec Antoine, pourquoi changerais-je ma vie ? Et pour récolter quoi ?

Je croyais avoir oublié Justin, depuis le temps, mais ça fait encore mal. Il m'a planté un couteau dans le dos, je crois la cicatrice fermée et elle se rouvre sans cesse.

Je pourrais guérir, oui ? Est-ce un autre qui me soignera ou réussira-t-il seulement à tirer un peu plus sur les berges de la plaie ? Je crois surtout que je devrais être assez grande pour guérir seule.

Ma guérison passe par la prudence. Je vais écouter Antoine et le laisser mariner. S'il me relance, j'accepte.

14

Un bouquet de mille roses, un vase improvisé,
Je me sens bien morose, de la voir courtisée.
Mais je dépose les armes, Marie n'est pas à moi,
Celui-ci a du charme et un certain émoi.
Il va plaire, je le sais, elle les aime fragiles,
Quelques semaines passées, je serai inutile.
Il est temps qu'elle le trouve, son chevalier servant,
Mais il faudra qu'il prouve son amour bienveillant.
Il a je ne sais quoi, qui le rend attachant,
Pas comme l'autre putois, le type un peu méchant.
Le flic, je te préviens, elle est ma vache sacrée,
Mon amie, mon soutien, mon paquebot ancré,
Sur la mer déchaînée de mes anciennes souffrances,
Mon phare illuminé, mon intime insouciance.

15

Pourquoi elle ne m'appelle pas ? Pourquoi personne ne m'a jamais appelé, en dehors de la bibliothécaire à la curiosité débridée et de l'ancienne voisine en mal d'amour, qui n'était pas du tout mon genre ? Le genre, on ne s'y attarde pas trop quand c'est juste pour tirer un coup. Alors que quand il s'agit de composer au quotidien…

C'est quoi mon genre de fille, d'ailleurs ?

Petite, parce que j'ai besoin de me sentir protecteur, et que si je dois me mettre sur la pointe des pieds pour la prendre dans mes bras, ou m'y prendre à deux fois pour en faire le tour, je ne me sentirais pas à la hauteur.

Musclée, parce que j'ai envie de l'emmener faire du VTT, sans avoir à l'attendre trois plombes en haut de chaque côte.

Intelligente, pour partager, parce que j'ai au moins ça, faute d'avoir eu le reste.

Courageuse, parce que c'est comme ça qu'on s'en sort, et que si je rencontre une fille qui ne s'en sort pas, comment je vais m'en sortir, moi ?

Sensible, parce que je le suis, et que j'ai besoin qu'on me comprenne. Il faut être sensible pour comprendre les sensibles. Là se dessine la nuance entre la perception d'une forme de sensibilité comme d'une qualité, et celle de la sensiblerie, plutôt perçue comme un défaut. J'en ai bien assez, des défauts, je ne vais pas me rajouter celui-là, aux yeux de celle qui m'aimera.

De toute façon, depuis Rosa-Lyne et sa réponse en forme de guillotine, je me suis fait une raison. Pourquoi trouverais-je une fille bien puisque je suis né dans la saleté, humaine et matérielle ?

Alors, mon genre ?

Petite, musclée, intelligente, courageuse, sensible.

Marie.

Je suis vraiment trop con. Je crois que j'ai grillé mes chances de la revoir en lui sautant dessus. Elle a raison. Je ne la mérite pas, même pas pour un dîner. Cette attente insupportable m'empêche de dormir depuis trois jours. Parce que je réfléchis, je calcule, je ressens, j'imagine, j'espère, je désespère, je m'accroche, je divague, je me douche, je dessine. Je me demande même si je n'ai pas prié la nuit dernière. Le dernier recours du désespéré !

C'est ça, l'amour ? Le vrai, je veux dire. Celui qui fait des beaux couples qui durent. Merci mes parents chéris de ne pas m'avoir appris ça. Madeleine m'a donné de l'amour, de l'amour pour enfant, mais je ne l'ai jamais connue amoureuse. Alors, je me dépatouille avec mes neurones migrateurs, mes hormones mâles en pagaille qui se régulent sous la douche et mes émotions en vrac. Je ferai le tri au fur et à mesure. Si j'ai appris à dessiner et à jouer du piano tout seul, je devrais bien réussir à apprendre l'amour aussi.

J'ai déjà commencé pour la partie charnelle, en empruntant tous les bouquins du rayon sexualité/plaisir féminin, à la bibliothèque de mon ancien quartier à Toulouse. Ce n'est pas parce qu'on n'a pas de voiture qu'il ne faut pas apprendre à conduire. Si déjà j'ai peu d'espoir de rencontrer la femme de ma vie, autant ne pas me louper si le miracle arrive. Certains collègues de boulot regardent des films pornos, les nuits de garde, quand c'est trop calme. Moi, ça me dégoûte. J'ai l'impression de visiter une boucherie, avec un étalage de viande, et des flouitch-flouitch quand on la manipule. Les mêmes collègues, dont j'ai probablement sauvé la carrière, à contrecœur, quand je les ai surpris dans la fourgonnette, juste avant que le gros Durrieux ne fourre son sexe en érection entre les jambes de cette pauvre fille qui se débattait comme elle pouvait, coincée par l'autre collègue qui la maintenait allongée sur la banquette.

— Allez, lieutenant, c'est juste une pute, elle a l'habitude d'écarter les cuisses, on lui fait pas de mal. Venez en profiter un p'tit coup. Ça vous détendra.

— C'est une pute quand elle décide d'être une pute. En ce moment, c'est une femme comme les autres. Tu vas retirer tes sales pattes et toi, remonter ton froc, sinon, je vise les couilles. Ça, ça me détendra. De toute façon, tu ne mérites pas d'autre gosse.

Trente secondes de plus et ils dégoupillaient la même grenade qu'en salle de techno quand j'étais adolescent. C'est en pensant à leurs mômes que je n'ai pas donné suite. Déjà que leurs pères n'avaient pas grand-chose dans le crâne, si en plus on leur coupait les vivres… La fille en question, je l'ai laissée repartir après lui avoir cherché un remontant à la machine à café, les coordonnées d'Annie, ma collègue spécialisée en femmes tristes, et celles d'un centre d'accueil.

Je suis un type désagréable avec les autres, mais je ne suis pas un salaud. Encore moins envers les femmes. De n'être pas intervenu m'aurait hanté toute ma vie. C'était peut-être d'avoir entendu derrière la cloison ma mère hurler à mon père de la lâcher parce qu'elle ne voulait pas, et puis de la voir pleurer plus tard dans la salle de bains, un peu après ses gros râles de porc.

On se construit sur ce qu'on a vécu, en reproduisant ou en exorcisant.

Non, moi, pour me préparer au miracle, je préfère les livres. C'est agréable à feuilleter, surtout les vieux livres hindous du Kama-sutra. Il faut croire que la bibliothécaire, à l'accueil, avait envie de vérifier si je les avais bien tous lu, parce qu'un jour, elle m'a rendu ma carte d'abonnement avec un Post-It et son numéro de téléphone. Je suis donc passé à la pratique. Ça avait l'air efficace parce qu'elle en redemandait. Mais elle a commencé à s'attacher. Alors, je ne suis plus retourné à la bibliothèque. J'ai acheté un ou deux bouquins à la Fnac. Ça suffisait. De toute façon, j'avais tout lu. Et j'ai une bonne mémoire.

La preuve, c'est qu'avec ma voisine du dessus, je me souvenais de tout. Elle aussi en redemandait. Et elle aussi s'est attachée.

Je n'ai pas envie qu'une femme s'attache à moi. Elle risque d'être trop malheureuse, comme Madeleine. Cela dit, pour faire un couple qui dure, il faut bien s'attacher un tout petit peu quand même, non ?

Le samedi matin, Marie fait le marché de Foix.

Comment je le sais ? Je suis flic ou pas ?

Et là, j'hésite. Aller la voir discrètement pour me faire un peu plus de mal ? Ou de bien ?

Trouver un moyen de faire acte de contrition autrement que par voie florale ?

Mais comment ?

Laisser tomber et faire comme si elle n'existait pas ?

Ça non plus, je ne sais pas comment.

J'avance sur mes gardes, en recherchant son stand. Il y a du monde, il fait bon aujourd'hui, ça va m'aider à rester discret.

Elle est là, au bout de la rue. Je m'adosse à la maison qui fait le coin et je la regarde. Elle est gracieuse, dans tous ses gestes. Même pour rendre la monnaie. Gracieuse et souriante. Quand je repense à la grosse dondon poilue que j'imaginais en arrivant là-haut pour la première fois…

Les gens doivent se demander ce que je fais là, en appui sur la façade depuis plus d'une heure à regarder dans la même direction. Je ne me lasse pas de la voir. Quelqu'un a dû également le demander à la police municipale, ce que je foutais là depuis une heure, parce qu'ils s'approchent de moi. Ma carte professionnelle suffit à les faire rebrousser chemin sans autre explication. *Dégagez, je suis sur une affaire sérieuse*, ont-ils dû m'entendre penser. Ben quoi ? ! C'est la vérité !

Cela dit, le marché touche à sa fin, il faut que je fasse quelque chose, je ne peux pas la laisser repartir. Pas sans nouvelles. Elle ne veut pas m'en donner, qu'à cela ne tienne, c'est moi qui le ferai.

Me mettre à genoux devant son stand au milieu des badauds ? Je ne vais quand même pas en arriver là, je me suis déjà assez tapé la honte dans ma vie. Mais comme je suis un gros lâche, une de mes autres grandes qualités, je ne vais pas aller la voir. Je traverse la rue pour poursuivre dans la voie florale.

— Bonjour, monsieur, oh, je n'ai plus assez de roses, si vous vouliez un bouquet comme la dernière fois !

Et elle est toute fière, la fleuriste, à sourire de sa remarque derrière son comptoir. Tu parles qu'elle se souvient de moi ! J'ai dû lui faire réaliser en un bouquet son chiffre d'affaires de la journée !

— Une seule me suffira. Rouge. Avec un petit carton message.

— Hum… Elle a de la chance !

— C'est pour un homme !

Son visage passe d'un sourire mielleux et commercial à une moue improbable de dégoût. Je n'ai pas pu résister. De quoi elle se mêle ? C'est mon histoire, non ? ! Un rire nerveux sort du fond de sa gorge quand je lui dis que je plaisante. La voilà rassurée. C'est drôle, ces gens qui font semblant de ne pas être homophobe, mais qui n'ont aucun talent d'acteur. Ah çà, dès qu'on est un peu différent, plus personne ne vous accepte !

— À faire livrer ?

— Non, je vais m'en charger.

J'interpelle un gamin qui passe en vélo. En lui glissant un billet de cinq euros dans la main, je le charge d'aller discrètement déposer la rose et son petit mot sur le stand de la fromagère. Je le suis du regard, en retournant m'adosser à mon coin de maison.

Elle est partie ranger quelques caisses dans sa fourgonnette et trouve la fleur en revenant à son stand. Elle la saisit, puis lance quelques regards autour d'elle. Je me mets légèrement en retrait. Puis, elle ouvre le petit mot et sourit discrètement en approchant la rose de son visage pour la respirer.

Elle aurait pu la flanquer par terre, parce qu'elle ne veut plus rien savoir de moi, mais elle l'a acceptée. Apparemment avec plaisir.

Je suis soulagé.

Et amoureux. C'est sûr maintenant.

Mon cerveau fait tout pour ne pas l'admettre, parce que dans la seconde d'après, c'est la tempête. Surchauffe de myéline. Disjonction de synapses. Pourquoi je serais amoureux ? Hein ? Elle est mignonne, bien foutue, la regarder provoque chez moi des poussées hormonales, mais elle a un sale caractère. Elle m'a fichu la honte devant mes hommes, moqueuse et ironique, elle m'a laissé attaché pendant plus de deux heures sans se soucier si j'allais me pisser dessus ou pas, me ridiculisant au passage devant sa fille. Elle n'a même pas répondu à mon bouquet. Elle sent la vache, se lève à cinq heures du matin tous les jours de l'année, elle a un enfant d'on ne sait qui et vit au fin fond du bout du monde.

Voilà, c'est fait, en un instant, mon cortex cérébral a trouvé des arguments pour contrer mon cerveau émotionnel. Et c'est tant mieux, parce que je n'ai pas envie d'être amoureux. Pour voir comment ça finit, inutile de commencer. Ça n'apporte que des emmerdes, ou des chagrins sans fin. Il n'y a qu'à regarder autour de soi.

Sauf que dans la seconde d'après, la tempête redouble et mon cerveau se contredit sur toute la ligne, le traître !…

Le sale caractère ? Depuis quand avoir du caractère signifie qu'on a forcément un sale caractère ? Et puis, je cherche quoi ? Une femme soumise ? Bobonne à la maison pour me laver mes chaussettes sales et rester discrète durant les dîners entre amis ? À qui je pourrais imposer ma simple, ma seule, mon unique vision des choses ? C'est confortable, mais vite lassant.

Elle m'a laissé attaché plus de deux heures ? Mais mon gars, tu l'avais bien mérité ! Un homme ne saute pas sur une femme comme un agresseur potentiel, sous prétexte de lui prouver qu'elle a besoin de lui pour se sentir en sécurité. Parce que, au fond, lieutenant Delombre, c'est bien ça que tu voulais lui prouver, non ? Que tu pouvais servir à quelque chose auprès de quelqu'un ?

Aucune réponse depuis mon bouquet ? Mais si elle m'avait répondu dans la demi-heure, je l'aurais peut-être bien cataloguée de fille facile. Un dîner en tête à tête, ça s'attend, ça se mérite, ça se prépare, ça se réfléchit. Peut-être même que ça se refuse.

Elle sent la vache ? Et elle dispose d'une salle de bains fonctionnelle et d'eau chaude courante à toute heure de la journée.

Le réveil à cinq heures du matin ? C'est connu, le monde appartient à ceux qui se lèvent tôt.

Une fille de père inconnu ? Qui dit qu'il n'est pas connu ? Il ne vit pas avec elle, certes, mais il existe forcément. Et puis, Suzie est à croquer, pourquoi serait-elle un frein à un approfondissement des affinités avec sa mère ?

Elle vit au bout du monde ? Mais la route est macadamisée jusqu'en haut, et nom de Dieu ce que c'est beau tout autour de chez elle !

Voilà. Preuve s'il en fallait une que c'est mon cerveau émotionnel qui a pris les commandes de mon néocortex, et ça m'énerve, parce que là, je ne maîtrise plus rien, mais alors plus rien du tout. Pourtant, je la connais à peine. C'est ça, un coup de foudre ? La foudre, ça fait des dégâts, ça brûle tout sur son passage, et le tonnerre gronde juste après. C'est violent, furtif, dangereux.

Mais la foudre, ça ne se maîtrise pas, ça tombe là où on ne l'attend pas. J'attendais une vieille paysanne en jupe à fleurs, et c'est moi qui les offre, les fleurs, parce qu'elle est petite, musclée, intelligente, courageuse et sensible. Mon genre, quoi !

16

C'était un marché agréable. J'ai bien vendu. Il faisait beau et les clients ont afflué. J'aime ça. Mon banquier aussi.

Et puis, quand je rangeais mes caisses, quelqu'un est venu déposer une rose sur la tablette de mon stand. J'ai bien vu un jeune garçon repartir en vélo, à toute allure, mais était-ce lui ?

Un petit mot l'accompagnait : « Mignonne, allons voir si la rose… »

C'était une relance. Il avait gagné son dîner. Je restais partagée. Mais je m'étais promis.

Je suis rentrée du marché, j'ai fait mon boulot habituel le reste de la journée, et le soir venu, quand Suzie a été couchée, j'ai recherché sa carte de visite et lui ai mis un petit message sur son répondeur : « Samedi soir prochain, aux Hauts-Bois, vers dix-neuf heures trente. Une bonne bouteille de vin suffira. »

Concis, précis, sans émotion. De toute façon, pour l'instant, à part une envie de spéléologie…

Ça le ferait mariner un peu plus d'attendre quelques jours.

« Un homme mariné a toujours plus de goût, c'est comme un steak de bœuf », affirme Antoine. J'aime le bon vin. J'espère qu'il saura en choisir un qui se marie bien avec le steak de bœuf mariné. Je ferai du poulet, ce sera plus adapté.

Et j'ai bien fait de programmer ce dîner dans une semaine. Il semble l'attendre avec impatience. Ça lui fera les pieds !

17

Une semaine ! La garce ! Elle l'a fait exprès, j'en suis certain. Elle me fait payer.

Ça fait donc quatre jours que j'attends que le temps passe un peu plus vite. Mais rien à faire. C'est même pire. La bouteille de vin, je l'ai trouvée hier. Elle m'a coûté l'autre bras. Oui, Madeleine, je sais, quand on aime, on ne compte pas. Moi, je ne compte pour personne puisque personne ne m'aime. Sauf Madeleine. Je ne connais pas assez Marie pour l'aimer. On prend quand même quelques précautions avant de se laisser aller, non ? Comme de vérifier qu'on est caractéro-politico-sexo-compatible. Allez dire cela à mon cerveau émotionnel. Je ne suis pas raisonnablement épris, je le suis instinctivement. Est-ce pire ? Mieux ? De toute façon, c'est ainsi. Je pensais être maître chez moi. Tout m'échappe. Pour une fois, l'angelot et le diablotin sont d'accord. Pas sur la forme, mais sur le fond. C'est le rouge à cornes qui m'a ordonné d'aller lui sauter dessus sans prévenir. Le blanc auréolé a rattrapé le coup avec les fleurs. Les deux me poussent à aller vers elle. C'est bien la première fois qu'ils accordent leurs violons, et il en découle une jolie musique. De toute manière, quand on commence à réfléchir au bien-fondé des sentiments, à la façon de les gérer, d'y renoncer ou de les canaliser, on s'éloigne de l'amour. On aime avec les tripes, pas avec la tête. Et jusqu'à nouvel ordre, les tripes ne réfléchissent pas.

Qu'est-ce que j'y connais à l'amour ? Rien, je suppose.

Aujourd'hui, c'est jour de repos. RTT : Randonnée Tout Terrain. Un mercredi à ne rien faire ne m'aidera pas à passer le temps. Je sors ma carte IGN, je charge mon VTT sur la voiture et je file vers la montagne. J'ai bien pris soin de programmer un itinéraire qui, d'après mes estimations, me fera passer par les Hauts-Bois, en milieu d'après-midi. Ce n'est pas parce qu'on se voit samedi que je ne peux pas m'y arrêter avant. L'air de rien.

Le temps est splendide, il fait presque chaud pour un mois d'avril. Que dire du paysage ? Le printemps dans toute sa splendeur. Comment ai-je pu faire pour tenir vingt ans à Toulouse ?

J'avale rapidement un en-cas au sommet et je redescends à toute allure. Je m'arrête un peu en amont de la ferme, pour scruter les mouvements internes, mais rien.

Tant pis, je suis là, j'y vais. En arrivant dans la cour, je vois Suzie quitter l'étable en courant en direction de la maison.

— Va aider maman dans l'étable ! Moi, je vais téléphoner à Antoine. Dégrouille-toi !

Mince, il lui est arrivé quelque chose. Mais ce ne sont pas des cris de femme que j'entends. Elle égorge un cochon ou quoi ? J'arrive en trombe et je la vois au pied d'une bête plus grande qu'elle. La vache est debout et s'arc-boute régulièrement, en poussant des râles désespérés.

— Tiens, vous tombez bien !… Allez me chercher la vêleuse.

— La vêleuse ?

— Le truc en bois, là-bas, contre le mur.

Suzie revient en courant.

— Il arrive tout de suite.

— Merci, ma puce.

En me retournant avec ce truc en bois dans les mains, je vois Marie en train de disparaître dans la vache. Elle a un gant en plastique qui lui va jusqu'à l'épaule et est en train d'enfiler son bras entier dans le derrière de la vache, à moins que ce ne soit dans sa vulve. Moi et l'anatomie animale ! Elle trifouille quelque chose à l'intérieur et finit par en ressortir deux pattes qu'elle attache au truc en bois qu'elle appelle vêleuse. Elle me sort de ma torpeur en me criant d'aller chercher un grand seau d'eau tiède. Suzie me prend par la main avant même que j'aie eu le temps d'intégrer l'ordre et m'emmène dans la pièce d'à côté, me tend le seau et ouvre le robinet.

Quand je reviens avec l'eau, Marie est en train de tirer de toutes ses forces sur la corde, le bois de la vêleuse en appui sur la vache. Elle a même posé son pied droit sur la cuisse de la bête pour mieux prendre appui.

— Je dois vous aider à tirer ?

— Non, si c'est trop fort, on va tout déchirer.

La tête du veau apparaît enfin, puis les épaules et le reste du corps. La vache pousse un tel meuglement que les montagnes d'en face semblent le renvoyer en écho. J'ai de la peine pour elle.

Il tombe comme une masse morte dans la paille. D'ailleurs, il doit être mort, il est tout mou. Marie le frotte vigoureusement, lui souffle dans les naseaux, sans succès. Elle prend alors le seau et le verse d'un coup sur la tête du veau. Il réagit enfin. Elle le frotte encore avec une brassée de paille, pour le sécher. Il redresse sa tête et ouvre les yeux, hagard.

La voiture du gros nounours musclé se gare en trombe sur le gravier, à trois centimètres de mon vélo, nom de Dieu !!! Il passe devant moi comme si je n'étais pas là.

— C'est bon, Antoine. Désolée pour le dérangement, mais je croyais que je n'y arriverais pas.

— Tu as eu raison. Une génisse ?

— Oui, et un gros veau. Mauvais choix d'insémination. Il avait un pied en arrière, je suis allée le chercher. Mince, je n'aurais pas voulu la perdre celle-là, c'est une femelle, avec de bonnes origines. Merci quand même d'être venu. Tu restes pour un café ?

— Ben, oui.

Il se retourne alors vers moi et me tend la main pour me saluer. Toujours le même sourire simple sur la même barbe de trois jours. On lui donnerait le bon Dieu sans confession. Il me broie quand même les doigts.

— Antoine, un voisin de Marie.

— Olivier, un… euh… le…

— Je sais, vous êtes le lieutenant qui a enquêté sur l'affaire Jean-Raphaël. Enchanté. Vous passiez par là ?

— Par hasard, oui.

Il me regarde en souriant bêtement. Je ne sais pas mentir, ça se voit et ça m'énerve. Ça rendrait service, parfois.

— Je vous en prépare un aussi ? me demande Marie.

— Non, non, je vais vous laisser entre vous.

Je ne voudrais pas déranger.

Elle s'approche de nous, sourire aux lèvres. Elle est sincèrement soulagée. Certaines femmes, comme ma voisine de palier, sont contentes d'avoir pu, dans la même journée, finir leur repassage, faire les carreaux et préparer un rôti de veau ; Marie, elle, met son bras en entier dans une vache plus grande qu'elle, pour en sortir un veau mort et le ressusciter avec de l'eau tiède. J'aime bien le rôti de veau, mais c'est plus émouvant de le voir se lever sur ses pattes après un retour à la vie, même s'il finira quand même en rôti.

Elle a du sang jusque dans le cou, de la paille humide dans les cheveux et une espèce de glaire sanguinolente accrochée à son tee-shirt à côté d'une énorme tache de bouse. Elle est nettement moins attirante que d'habitude après ce vêlage difficile et ce n'est pas aujourd'hui que je vais bander, ce qui tombe plutôt bien, parce qu'avec mon caleçon de vélo moulant, j'aurais vraiment l'air d'un con !

Devant l'insistance de Suzie, je finis par rester avec eux pour le goûter. Elle a vraiment dû me trouver drôle, l'autre soir, au milieu de la cuisine. J'enlève quand même mon casque de vélo et j'ouvre la fermeture Éclair de mon maillot. Ça donne chaud de voir un truc pareil, et je n'en reviens toujours pas de ce qu'elle vient de faire. Je dois être aussi hagard que le veau.

Marie a lancé le café avant de disparaître à l'étage pour prendre une douche rapide. Bonne idée. Sauf que j'aurai toujours mon caleçon moulant à son retour, quand elle sera de nouveau mon genre. Je m'assieds donc et coince discrètement mon attribut entre les jambes pour lui passer toute idée d'extension inopinée. Ça fait pitié quand même de ne pas être capable d'éviter un garde-à-vous à chaque fois que je la vois. Si c'est pas une preuve, ça ?…

Je laisse parler Antoine, ne sachant pas quoi dire. Mais c'est surtout avec Suzie qu'il échange. Il semble vivre une incroyable complicité avec la petite. Son père ? Non, non, pas possible. Un couple séparé ne s'entend pas aussi bien qu'eux. Ils sont amis, ça se voit. Ou alors frère et sœur. Mais il y a un problème de gabarit. On peut mettre quatre Marie dans un Antoine. C'est possible ça, dans une fratrie ?

Quand Marie revient, Suzie a préparé les tasses, elle a sorti des gâteaux maison et s'est servi un grand verre de jus d'orange.

— Tu veux que je te fasse un dessin comme la dernière fois ?

Elle n'attend même pas la réponse et commence sur le coin de la table.

— Et moi, dit Antoine, tu ne m'en fais pas un à moi ?

— Toi, t'en as déjà plein à la maison, alors que lui, il en a peut-être pas.

Aucun ! Celui qu'elle m'a fait la première fois est sur mon frigo. C'est le premier dessin d'enfant que je reçois. Trente-huit ans. Il y a un début à tout. Pas de neveu ou nièce, du moins pas connu, pas de filleul, qui voudrait me choisir comme parrain ? Et pas d'enfant bien sûr, ni officiel ni caché. À moins qu'un terminatozoïde au sommet de sa forme n'ait un jour réussi à franchir la barrière de latex.

Nous parlons surtout de Jean-Raphaël. Je leur demande aussi si toutes les vaches accouchent comme ça.

— Mettre bas, chez les animaux, reprend Antoine.

Je suis inculte dans le règne animal. Sauf pour les gros porcs.

Finalement, je me lève pour partir, afin de les laisser un peu entre eux. Suzie me donne son dessin, que je range dans mon sac à dos. Je suis tendu. Mais non, pas entre les jambes. Plutôt mal à l'aise. Quel est vraiment ce trio ? J'y sens une unité, un lien. Comme une molécule d'eau. H_2O. Deux atomes d'hydrogène et un d'oxygène. Et moi, l'électron libre qui tourne autour.

L'eau, c'est la vie. À leur contact, je me sens l'homme assoiffé à qui l'on donne à boire. Ils sont régénérants.

— Merci pour le coup de main. Ah, au fait, samedi, ça n'ira pas, m'annonce-t-elle sans autre forme de précaution.

— Ah ?

Je me décompose sur place. La même sensation que le veau moribond tombé dans la paille, tout à l'heure.

— Mais non, c'est une blague, finit-elle par me lancer en guise de seau d'eau tiède.

Décidément, quelle garce !

Cela dit, c'est confirmé, et c'est officiel, devant son ami.

Youpi.

18

Le lieutenant est parti rapidement après le café. Il avait peut-être le sentiment de déranger. C'est vrai, il ne sait pas pour Antoine.

En arrivant devant le miroir de ma salle de bains, je m'étais demandé s'il n'allait pas annuler le dîner de samedi. Tellement contente d'avoir pu sauver ce veau, je ne me suis même pas rendue compte que j'en avais partout. Ça a dû le dégoûter. S'il vient quand même, j'espère que je n'aurai pas un vêlage en cours. J'espère aussi qu'il ne viendra pas en VTT, parce qu'il avait une drôle d'allure après avoir enlevé son casque. Le vent avait fait passer des mèches dans les aspérités, et la transpiration les avait fixées comme du gel coiffant. On aurait dit qu'il avait un hérisson mort sur la tête.

Cela dit, son cuissard galbait formidablement ses fesses rebondies et musclées, ce qui compensait le hérisson mort. Mais c'est quand il a ouvert son maillot parce qu'il avait trop chaud que ma fourmilière a failli se mettre en action dans le bas-ventre. Des muscles pectoraux bien dessinés, sans un poil sur le torse, la peau luisante d'effort. C'est comme ça que je les aime, je vois assez de bêtes à poil toute la journée.

Un mec se retourne sur une jolie fille dans la rue pour voir si elle est aussi bien modelée de dos que de face et toutes les féministes crient au loup. Macho par-ci, phallocrate par-là… Mais, hé, hé ! Nous sommes bien les mêmes !… Un type descend sa fermeture Éclair sur des pectoraux solides et glabres et ça nous suffit pour faire monter en flèche la pluviométrie interne.

Chez moi, la fourmilière n'a cependant compté que peu d'individus, et encore, un peu somnolents. Peut-être parce que Suzie et Antoine étaient là. Peut-être parce que la dernière fois qu'elle s'était réveillée, elle était constituée de fourmis rouges qui m'ont mangée de l'intérieur, féroces et cruelles. Depuis, j'ai mis un couvercle dessus, pour les étouffer toutes, jusqu'à la dernière.

Antoine a peut-être raison, il est temps que je lève le couvercle. Il était donc ravi que j'aie finalement accepté l'invitation. Un peu ronchon que je ne lui en aie pas parlé plus tôt, mais je pensais le lui dire le lendemain, autour d'une tarte aux pommes. En partant, il m'a embrassée en laissant sa grande main tendre sur ma joue, longtemps, comme s'il me disait au revoir pour la dernière fois. Eh, oh, Antoine, qu'est-ce que tu me fais là ? C'est ridicule, ce n'est pas un petit dîner qui va nous séparer !

— Beau petit cul quand même dans son cuissard ! m'a-t-il lancé, une fesse sur le siège, la main sur la poignée de la portière.

Sa main sur ma joue m'a turlupinée une partie de la soirée. Et si ça change tout ? Et s'ils ne s'entendent pas ? Et s'il n'y a plus rien sous mon couvercle ? Et si ça ne marche pas ? Et si ça marche ?

Et si elle arrêtait, Marie, de se demander si, si, si ?

J'ai alors repensé à la question de Suzie, à table, entre deux gorgées de jus d'orange.

— Pourquoi tu l'as pas attaché cette fois-ci ?

Antoine était mort de rire.

Le lieutenant, un peu gêné, a souri en la regardant. Je lui ai simplement répondu qu'il avait été gentil aujourd'hui.

C'était vrai.

Là, c'est en me regardant qu'il a souri.

Même dans son sourire, on distingue une faille, un truc qui va de travers, comme s'il y avait des fils à l'intérieur des joues, qui retiennent le coin des lèvres. Et qui ne veulent pas céder. Et puis, il y a une risette sur la bouche et de la tristesse dans les yeux. Le même genre de sourire que le SDF à qui vous venez de donner une pièce. Il est content, mais ça ne changera pas sa chienne de vie. Ou le gars sur le quai de la gare qui dit au revoir à son amoureuse. Un sourire de clown triste.

Sauf qu'il n'est pas clown. Il est lieutenant. Et peut-être triste.

Finalement, je crois que ce n'est pas un malade, mais quand même un petit animal blessé, qui est agressif parce qu'il a mal.

Mémé ? Tu disais ?

Pourquoi je les attire ? Antoine, c'est pareil. Il a vite guéri quand je l'ai recueilli. Lui, c'était un grand cerf à bout de souffle, qui avait couru depuis le Cantal avec la peur au ventre de se faire rattraper par la horde de beagles dressés pour poursuivre, harceler, mettre à terre et s'acharner. Il s'était réfugié ici, juste avant l'hallali.

Ah, là, là !

Et moi, dans tout ça ?

19

Samedi. Nous étions samedi.

Un petit tour de VTT dans l'après-midi m'a permis de lâcher un peu les vannes. Mon corps était un immense barrage retenant une gigantesque étendue de trac. J'ai pris ma douche vers dix-sept heures. Ni trop tôt pour sembler encore un peu frais ni trop tard pour que mon odeur naturelle ait le temps de reprendre ses droits. Il paraît que ce qui se joue entre deux personnes échappe complètement à leur volonté. C'est écrit dans les bouquins. On s'attire parce qu'on a des systèmes immunitaires complémentaires pour faire une descendance encore plus résistante, et toute sorte de choses du même genre. Dire que des molécules invisibles déterminent l'avenir de l'humanité !

J'espère que ses phéromones vont bien s'entendre avec les miennes…

Rasage de près. Coiffage habituel. C'est-à-dire néant. Un jean, un tee-shirt et un pull. Pas de parfum. Juste mes molécules invisibles.

Je n'aime pas me mettre sur mon trente et un. Question d'honnêteté. Et encore, côté masculin, le fossé entre notre vraie apparence et ce qu'on peut en faire est une petite rigole. Chez les femmes, c'est un canyon. Prenez la fille un soir de fête, talons aiguilles, petite jupe, chemisier blanc avec au niveau des seins un bouton qui va lâcher, si, si, il va lâcher, des boucles d'oreilles qui scintillent en cadence et le visage maquillé comme une voiture volée. Cils extra-longs, yeux noirs, peau mate et bronzée, bouche pulpeuse et brillante. Au réveil, démaquillée, dans son vieux tee-shirt bleu, c'est à se demander si vous avez suivi la bonne.

Moi, j'aime les femmes qui ne trichent pas. Qui sont aussi belles pour partir au travail tous les jours que le soir du réveillon, sans être déguisées en vacillant sur des talons suffisamment hauts pour creuser le trou de la Sécu avec des troubles musculo-squelettiques et des entorses diverses. De toute façon, je déteste faire la fête. Il faut des amis pour ça. Picoler, aller en boîte, emballer les filles et remplir son tableau de chasse en trouvant une façon pas trop directe de leur faire comprendre le matin qu'elles n'étaient que du gibier. Faire le fier devant les potes. Je n'ai pas de potes. Donc, je ne sors pas.

Parce qu'il faut une sacrée dose de désespoir pour sortir quand même sans pote. Je suis… ? Rabat-joie ? Je vous avais pourtant prévenu. On ne m'aime pas. Et qui a décidé qu'il fallait faire la fête pour être heureux ?

Moi, je suis heureux sur mon vélo et dans mes cahiers à dessin.

Et ce soir-là, c'était de monter dans cette ferme de montagne qui me rendait heureux.

Une petite heure de route. Musique dans l'autoradio. Mon CD maison. Celles dont je ne me lasse pas.

Ils n'ont que sept siècles d'histoire,
Ils sont toujours vivants.
J'entends toujours le bruit des armes,
Et je vois encore souvent

Des flammes qui lèchent des murs,
Et des charniers géants.

J'ai encore chialé sur Cabrel et ses chevaliers cathares.

Pourquoi cette chanson me fait cet effet-là ? Ah oui, je suis sensible. Trop sûrement. Ou peut-être la guitare ? Ça me file des frissons quand il joue. Il en joue dans toutes ses chansons, alors pourquoi les chevaliers cathares ? Je suis peut-être le descendant de l'un d'entre eux. Qui sait ? Pourquoi certaines choses vous touchent plus que le voisin ? On ne sait ni d'où l'on vient ni où l'on va. On sait juste ce qu'on est à l'instant T.

Et là, à cet instant T, dans le dernier virage avant la ferme, j'avais le cœur à cent à l'heure.

Je suis arrivé à dix-neuf heures trente précises. Suzie avait fini de manger, mais elle voulait m'attendre pour me faire un bisou.

— T'es tout doux et tu sens bon ! Antoine, il pique toujours un peu. Tu seras gentil avec maman, hein ? Sinon, elle te ligote comme une brebis !

Je serai gentil, promis ! Je lui ai tendu le petit paquet que j'avais pour elle. Déchirant le papier avec vigueur, elle a écarquillé les yeux, avant de me refaire un bisou. Puisque j'étais doux.

— Regarde, maman, des crayons de couleur et un gros bloc de dessin !

— Super ! Allez, tu lui dis bonne nuit, maintenant, et on y va.

Marie l'a accompagnée dans son lit, le temps d'une petite histoire, avant de redescendre. J'en ai profité pour déposer la bouteille de vin sur la table et rechercher l'orchidée laissée dans la voiture. Je n'avais jamais autant fréquenté les fleuristes avant elle. Je n'avais même jamais fréquenté de fleuriste. Madeleine préfère le chocolat.

Il y avait une cocotte sur le feu et une odeur sublime qui s'en dégageait. La table était mise et Suzie avait écrit nos prénoms sur un bout de carton. Elle semblait vraiment très en avance pour son âge. Je me suis senti accueilli. Elles avaient parlé ensemble de ce dîner, elles l'avaient préparé. Elles m'attendaient. Ça fait du bien. Ça fait même un bien fou. Vingt ans que personne ne m'attend. Je ne suis pas fait pour vivre seul, sinon, je serais heureux que personne ne m'attende. Et je fais tout pour l'être. Allez comprendre…

Je suis allé flatter Albert, qui dormait dans son panier, fatigué de sa journée de travail.

— Il vous a vite adopté, celui-là. Il n'est pas aussi conciliant habituellement, m'a-t-elle lancé en redescendant l'escalier.

— Il doit sentir mon affection.

Elle était très belle. Pas de fantaisie particulière. Un large pantalon noir, resserré en bas et dont la fluidité suivait ses mouvements. Une chemise en coton, rose pâle dont les deux premiers boutons étaient ouverts. Aucun sur le point de lâcher. Elle avait mis un soutien-gorge, on voyait ses coutures sous le tissu. Ses tétons seraient donc disciplinés. Ses cheveux ondulés s'articulaient autour d'un bandeau, simplement noué dans le cou. Un léger maquillage autour des yeux. À peine. Aussi jolie que pour aller traire les vaches. Je me foutais bien qu'elle ne fasse potentiellement pas la une des magazines féminins. Au fond de mes yeux, elle était belle. Et je n'étais plus objectif.

Elle était souriante, détendue, et semblait avoir pris le parti de passer une soirée agréable, loin de nos accrocs précédents.

— Merci pour l'orchidée, elle est magnifique.

Elle a ensuite saisi la bouteille de vin.

— Très bon choix.

J'avais opté pour un cabernet d'Anjou vendanges tardives, en me disant que nous pourrions le commencer à l'apéritif et le finir en fin de repas.

Je venais de passer le premier test avec brio. Je commençais à me détendre. Mon cœur à ralentir.

Elle avait mis un CD de Norah Jones en musique de fond, une bougie sur la table. Ambiance feutrée. En dehors du bruit métallique des cornadis à l'étable et des ronflements rauques d'Albert, j'avais l'impression d'être seul au monde, avec elle.

Je nous ai servi un verre pendant qu'elle s'affairait à la cuisine. J'avais l'estomac en pagaille, sans trop savoir si c'était la faim qui s'intensifiait ou le trac qui s'accrochait.

Les dîners en tête à tête, ça doit être comme les entretiens d'embauche, plus on en fait, plus on est à l'aise. Des comme ça, je pouvais les compter sur les doigts d'une main amputée de trois d'entre eux. En face d'une fille qui remplissait si bien tous les critères d'appartenance à mon genre, c'était la première fois.

20

Il est temps qu'à mes vaches, j'étale de la paille,
Pour éviter les taches de bouse sur leur poitrail.
Je ne suis pas un fou du ménage au logis,
Mais dans l'étable, partout, je hais la gabegie.
Je n'aurai bientôt qu'elles pour m'écouter pleurer,
Leurs yeux sans étincelles, leurs pis à tripoter,
Puisque ma petite sœur est en train de tomber,
Je la connais par cœur, amoureuse d'un gradé.
Au moins, elle aura ça, à offrir à sa fille,
C'est mieux qu'un type comme moi, est-ce qu'il la déshabille ?
Ou prend-elle mes conseils au sérieux comme toujours ?
Parfois elle s'émerveille, jamais je ne me goure.
Allez, Antoine, va donc te changer les idées,
Et laisse-la faire sa vie, elle va te raconter.
Saisis-toi de la pelle, pour nourrir ton troupeau,
Tes vaches, elles, sont fidèles, et oublie qu'il est beau.

21

Il est arrivé à l'heure. Parfait pour Suzie. Je ne sais pas pourquoi elle s'est si vite attachée à lui. Peut-être parce qu'il lui a montré ses faiblesses. Le sauver d'une araignée a dû avoir une signification pour elle. Alors en plus, lui ramener des crayons de couleur et un bloc à dessin. Il la prenait par les sentiments.

Il diffusait une autre énergie ce soir-là. Pour ma part, pas de fourmis à l'horizon, mais un léger apaisement. Depuis le début d'après-midi, je me préparais à ce dîner, anxieuse et torturée par des souvenirs réminiscents de ma précédente expérience.

Antoine, venu m'aider en fin de traite, m'avait sommée de me détendre et de laisser venir. J'y arrivais presque. J'obéis facilement à Antoine.

Sur la table, il avait déposé une orchidée blanche, à deux branches, et une bonne bouteille de vin. Comment avait-il fait pour coller au plus près de mes goûts ? La maison est ancienne, et les murs font cinquante bons centimètres d'épaisseur. Le rebord de la fenêtre au nord est un endroit idéal pour les orchidées.

Nous nous sommes assis l'un en face de l'autre, pour prendre l'apéritif. On s'est un peu observés en silence, sans trop savoir par où commencer. Sourires gênés, les yeux qui se baissent. C'était la première fois que je prenais le temps de le regarder vraiment. Il avait les yeux verts, des cheveux châtains, légèrement ondulés. Visage carré. Le front large, le nez fin, et les lèvres bien dessinées. Il avait une cicatrice assez prononcée sur le menton qui lui donnait un côté un peu rebelle et qui me permit de rompre le silence qui allait indubitablement commencer à devenir pesant.

— D'où vient cette cicatrice sur votre menton ?

— Un sombre accident, quand j'avais six ans. Un virage dans ma vie. Ce qui a déterminé ma présence ici, ce soir.

— À ce point ?

— Le théorème du papillon. Un battement d'ailes en Ariège et un ouragan en Chine. Moi, j'ai commencé par l'ouragan. Et aujourd'hui, je dîne avec le papillon.

Tiens bon, Marie, tu t'es promis de ne pas perdre tes moyens, même sous des mots doux, surtout sous des mots doux, mais punaise, comme c'est bon !

— Mes parents s'engueulaient, comme tous les soirs, mais ce soir-là, je ne sais pas ce qui s'était passé, mon père était en furie. Il avait saisi un couteau dans la cuisine. Ma mère lui criait qu'elle allait partir et lui qu'il allait la tuer si elle franchissait la porte. Il hurlait tellement qu'il en bavait. Avec des grosses dents pointues et les yeux exorbités, j'avais l'impression d'avoir un porc en face de moi. Il tenait à peine debout et faisait des grands gestes avec son couteau. Je voulais protéger ma mère. Il n'a pas voulu me blesser, mais il avait vraiment trop bu. C'est ma mère qui a appelé les pompiers, parce que je saignais beaucoup. Quand ils sont arrivés, avec les flics, parce qu'elle avait expliqué l'accident, cet idiot avait encore le couteau dans la main, il était assis sur le canapé, blanc comme un linge, il ne supportait pas la vue du sang. Ma mère était en train de faire sa valise. Elle ne m'a même pas accompagné à l'hôpital pour me faire recoudre.

— Vous deviez être terrorisé.

— Il y avait une femme parmi les pompiers. Elle m'a raconté une histoire avec le petit nounours qu'ils avaient dans leur camion. Nous sommes chacun partis dans une direction. Moi à l'hôpital, mon père chez les flics, et ma mère avec un type du village, qui devait être à l'origine de cette violente dispute. Le big bang.

— Le big bang ?

— Explosion, puis irrémédiable éloignement.

— Et qui vous a cherché à l'hôpital ?

22

C'est Madeleine qui est venue me chercher, puisque personne d'autre ne voulait de moi. Madeleine était la voisine de mes parents. Elle était la seule à être gentille avec moi. J'allais souvent la voir, parce qu'elle avait des chèvres, et que je les trouvais rigolotes. Je ne la dérangeais jamais, et mes parents s'en foutaient de savoir où j'étais. Comme elle les trayait à la main, j'aimais bien me mettre en dessous pour prendre une giclée en direct. Le lait était encore chaud, c'était un régal. Je vivais un enfer à la maison, sous les coups de mon père et l'ignorance de ma mère. Mes grands-parents, qui habitaient dans le village, ne valaient pas mieux. Le grand-père était rustre, il aboyait toute la journée, et ma grand-mère soumise à lui, terrifiée. En plus, elle n'avait aucune hygiène. J'y allais à reculons.

Madeleine, elle, était tout le contraire. Une petite femme toute frêle, toujours bien peignée et habillée proprement dès qu'elle n'était pas auprès de ses chèvres. Elle sentait bon et me souriait tout le temps. Et puis, elle était douce avec moi. Sa maison était un petit coin de paradis.

Quand elle est venue me voir à l'hôpital, elle s'est assise à côté de moi pour me réconforter. Et quand elle a entendu l'assistante sociale parler de placement, elle m'a pris dans les bras, lui a dit qu'elle m'emmenait chez elle et que si les services sociaux oubliaient de s'occuper de moi, ce serait une bonne idée parce qu'elle m'aurait bien gardé, elle. « Je n'ai pas beaucoup d'argent, mais j'ai de l'amour à revendre ! » Ils n'ont pas osé la retenir.

L'assistante sociale est venue la voir quelques jours plus tard, pour parler longuement. Avant de partir, elle m'a demandé si j'étais bien chez Madeleine, et j'ai fait oui de la tête pendant au moins cinq minutes, sans rien dire, mais en la regardant droit dans les yeux… Il paraît que j'ai continué à faire oui de la tête, alors que la dame était partie depuis un bon moment. Comme un chien en plastique sur la plage arrière d'une voiture de vieux, la tête montée sur ressort.

Quand j'ai eu l'âge de comprendre, Madeleine m'a tout expliqué, sa vie et la mienne. Avant le big bang, c'était un trou noir. Elle aurait pu me dire que je venais de Tombouctou et que mes parents s'étaient fait bouffer par des cannibales, je l'aurais crue.

La seule image qui me restait, c'était le lait de ses chèvres. Ma madeleine de Proust à moi. Du moins, c'est ce que je pensais. Que tout avait définitivement été effacé. Les plombs qui ont sauté pour protéger le circuit, épargner la maison des flammes.

— Ce n'est peut-être pas un hasard qu'elle se soit appelée Madeleine, a-t-elle dit en se levant pour chercher la grosse cocotte en fonte sur le feu et la poser au milieu de la table.

Elle a soulevé le couvercle en faisant « Tadaaaaaa » !

Un poulet mariné aux légumes, avec quelques pommes de terre rôties. Ça faisait des lustres que je n'avais pas eu un menu pareil. Je me contente de peu, tout seul, dans mon appart. Aucune envie de cuisiner.

À peine de faire les courses. Pour quoi faire ? La cuisine, c'est agréable quand on peut partager.

— Ça a l'air délicieux !

— Ça peut, j'y ai passé du temps cet après-midi... de la ferme à l'assiette.

— Tout vient d'ici ?

— Tout ! Les légumes du jardin, le poulet de la basse-cour, la farine, c'est Antoine qui me la fournit, je fais le beurre, la crème et le fromage...

— Mais où trouvez-vous le temps ?

— Je n'ai pas la télé, je n'aime pas aller faire du shopping entre copines et je ne joue pas sur Internet. Et donc, la vie de Madeleine ?

La vie de Madeleine ? Si on peut appeler ça une vie. Triste à mourir. Mariée à vingt ans, avec Marcel Travers, ils avaient eu trois garçons. Le troisième n'a vécu que six mois. Mort subite. L'aîné est mort à six ans d'une méningite foudroyante. À l'hôpital, c'était déjà trop tard. Leur deuxième fils a tenu jusqu'à vingt ans, avant de mourir dans un accident. Son vélo contre une voiture, en allant bosser chez son patron. Il était apprenti boulanger. Un an avant mon coup de couteau dans le menton, c'est Marcel qui était mort. Écrasé par un gros bloc de pierre dans la carrière où il travaillait. Tout le monde a fini par dire qu'elle avait une malédiction, et que c'est son nom qui lui avait porté malheur. Travers, comme le sens qu'avait pris sa vie. Il y a des gens comme ça sur qui le sort s'acharne. Des gens qui semblent destinés au malheur. Ou alors, désignés par le destin pour tout encaisser afin d'épargner les autres, les plus faibles, ceux qui ne supporteraient pas.

Madeleine avait cinquante ans quand j'en avais six. Elle avait déjà essayé de parler à mon père, pour qu'il soit moins violent avec moi, mais il lui répondait d'aller se faire foutre et de se mêler de son malheur à elle. Quand je me prenais une torgnole, j'allais pleurer chez elle. Elle me prenait dans les bras et pleurait avec moi.

La vie est mal faite quand même, hein ? !

Finalement, personne n'est jamais venu me chercher, ni mes parents, ni mes grands-parents, ni les services sociaux, qui se sont contentés d'un courrier annuel que Madeleine devait remplir pour faire état de sa situation. Ça devait arranger tout le monde.

La ferme, elle n'a pas pu y rester. Ça ne rapportait pas assez. Elle voulait m'offrir une vie normale. Alors, elle a cherché dans les petites annonces et a trouvé une place de bonne à Toulouse. Nous sommes partis en laissant tout derrière nous. Moi, j'étais content de quitter le village et mes lieux maudits. Pour Madeleine, j'ai su que c'était plus difficile. Elle a longtemps pleuré le soir. Elle croyait que je dormais, mais je l'entendais essayer d'étouffer ses sanglots dans l'oreiller. La cloison n'était pas épaisse.

Nous logions sous les toits. On s'est habitués l'un à l'autre, et je l'ai aidée comme j'ai pu. Elle me disait toujours en basque : « Gaitz guztiak, bere gaitzagoa. » À chaque malheur, il existe pire. Moi, je ne voyais pas trop ce qu'on pouvait vivre de pire qu'elle.

C'est elle qui m'a obligé à passer mon bac. Moi, je voulais partir en apprentissage à quatorze ans pour ramener un petit salaire. Le diplôme en poche, je me suis engagé dans la gendarmerie, parce que c'était le plus rapide et le plus sûr pour avoir un salaire et le garder.

— Et maintenant, où est-elle ?

— À la mort de sa patronne, nous avons dû quitter les lieux. Moi, je me suis installé dans un appartement en ville, pour ma formation, et Madeleine est repartie vivre dans son village. Elle avait soixante-deux ans. Une retraite de misère que je complète avec ma paie.

— Elle devait être heureuse de revenir chez elle.

— Surtout de pouvoir retourner au cimetière. À Toulouse, elle allumait une bougie sur le bord de la fenêtre à chaque anniversaire, de naissance ou de mort, mais ce n'était pas pareil.

— J'aimerais la connaître.

Moi aussi, j'aimerais qu'elle la rencontre.

Je lui ai ensuite suggéré de me parler un peu d'elle, parce que je n'avais quasiment pas touché à mon assiette. La sienne était vide depuis longtemps. Je me suis resservi un peu de poulet et de légumes, pour réchauffer la première tournée, et parce que c'était extra, et je l'ai écoutée me parler de sa vie.

La bouche pleine, les papilles tourbillonnantes et les yeux en mode *recording,* pour me souvenir de tout et pouvoir ensuite la dessiner à m'en user les doigts.

23

— De quoi voulez-vous que je vous parle ?

— De Suzie ?

Je l'aurais parié. Il eût été troublant qu'il ne se demande pas d'où elle venait et pourquoi je vivais seule avec elle, sans qu'elle ne parle jamais de son père.

Alors, j'ai évoqué Justin, le beau Justin, le grand Justin, le salaud de Justin. Mais avant, je me suis resservie un verre de vin rouge, que j'avais ouvert après son cabernet d'Anjou. Un petit remontant avant de descendre touiller dans mes souvenirs glauques et répugnants. Il en a repris aussi, mais lui, par pur plaisir, et là, je me suis dit que si on réattaquait sa bouteille au dessert, il ne serait plus en état de conduire.

Il y a six ans, peu après mon installation, la coopérative d'insémination s'est restructurée et c'est un nouvel inséminateur qui a pris la tournée et qui passait aux Hauts-Bois. Il faut croire qu'on s'était tapés dans l'œil parce qu'au bout de la troisième fois, il a commencé à me sortir le grand jeu. J'étais charmante, intelligente, il avait plaisir à préparer sa tournée quand il savait que j'en faisais partie. Il s'arrêtait toujours pour boire un café et parler de tout et de rien. On a fini dans le foin, et pendant cinq mois, j'y ai cru. Quand il m'a avoué qu'il était marié et père de deux enfants, ça ne m'a même pas effleuré l'esprit que cela puisse poser un problème. J'étais sur mon petit nuage et je l'aimais sincèrement. Quand je voyais une vache en chaleur, je bouillonnais moi-même à l'idée qu'il allait passer dans l'après-midi. Je finissais vite mon travail, j'allais me doucher et je l'attendais. On a fait l'amour partout dans la ferme. C'était toujours rapide, sans beaucoup de tendresse, parce que ça prenait du temps dans sa tournée. Moi, je me disais à chaque fois que ce serait mieux à la prochaine. Il me disait qu'il ne voulait pas quitter sa femme, parce qu'elle lui faisait des bons petits plats et que, rien que pour ça, il n'imaginait pas sa vie sans elle. Pauvre type ! Et puis, il y avait les enfants, la maison à payer. Le schéma classique du bon père de famille. Avec une petite maîtresse pour se changer les idées et oublier une femme autoritaire, jalouse, à la libido en berne. Pour se rassurer également sur sa capacité de séduction, et d'érection. Moi, je m'en fichais, j'étais bien avec lui, du moins, je le pensais. Je ne songeais pas à l'avenir. Quoique si, je commençais à y penser. J'avais envie d'avoir un enfant et je trouvais que c'était le bon moment, mais je ne lui en ai jamais parlé. J'attendais qu'il prenne le temps. Nous avons continué à nous voir au moins deux fois par semaine, au rythme des chaleurs de mes vaches. Romantique, n'est-ce pas ?

Et puis, un jour, c'est un vieux barbu qui est venu pour inséminer la 3312. Il a dû se dire que je sentais drôlement bon pour une agricultrice en pleine journée, et moi, je me suis sentie mal. Très mal.

— Il ne vous a pas prévenu qu'il changeait de secteur ? Ah… Pourtant, on en profite généralement pour le faire à la dernière tournée.

— La dernière tournée ? Il ne viendra plus ?

— Ah non, madame, il est parti à l'autre bout du département.

Et là, j'ai su que le type avec qui je m'étais envoyée en l'air pendant des mois, croyant qu'il m'aimait, était un gros salaud, égoïste et lâche. Je me suis précipitée sur mon téléphone, mais il n'a jamais répondu. Le jour même, j'avais une lettre dans la boîte, écrite sur un bout de papier à moitié déchiré, avec l'en-tête de la coopérative. Il voulait tout arrêter parce que sa femme avait trouvé un cheveu bouclé sur son pull. « Et tu comprends, je ne voudrais pas la perdre. » Il était quand même content d'avoir pris du bon temps avec moi. Même pas désolé, aucune excuse pour la façon de s'enfuir. Il coupait le son, comme on éteint son poste de radio quand l'émission est finie. Le seul soulagement ressenti à ce moment-là est que je prenais encore la pilule. Avec le recul, ça m'aurait rendue malade d'être enceinte de ce sale type.

Ce jour-là, j'ai fait la traite du soir, j'ai fermé la maison à clé et je suis partie avec Albert en courant à travers champs jusque chez Antoine. Trois kilomètres, sans m'arrêter, ni de courir ni de pleurer.

Il m'avait pourtant prévenue. L'inséminateur passait aussi chez lui. « C'est pas un mec pour toi, Marie, il est louche, je ne le sens pas. » Et quand Antoine ne sentait pas un homme, il y avait de bonnes raisons de le croire.

— Pourquoi ? me demanda le lieutenant.

— Vous ne savez pas ?

— Non. Je ne sais pas quoi ?

— Pourtant, il ne s'en cache plus.

— Il est médium ?

— Non !... Quoique, parfois...

— Agent des services secrets ?

— Non, non, juste homosexuel...

— Et alors ?

— Et alors, à chaque fois qu'un même type arrive dans nos vies respectives, vendeur d'aliment, inséminateur, contrôleur laitier, commercial divers, on se donne nos impressions et elles sont toujours semblables, tant sur le physique que sur le caractère.

— Et qu'est-ce qu'il pense de moi ?

— Vous, c'est trop tôt, nous sommes en phase d'observation. D'ici deux ou trois semaines, nous devrions pouvoir rendre un avis !

Après cette remarque, je l'ai vu faire une drôle de tête. Il ne savait pas trop si je plaisantais ou si, vraiment, nous étions en train de l'étudier sous toutes les coutures, pour préparer notre compte rendu. Alors, pour qu'il ne me pose pas trop de questions qui m'obligeraient à lui avouer que je ne plaisantais pas, je lui ai raconté la suite.

Je pleurais tellement en arrivant chez Antoine, qu'il ne comprenait rien à ce que je lui disais. Mais il s'est douté. Ça devait bien arriver, et, d'après lui, il était grand temps. Il m'a déshabillée et mise sous une douche chaude, dix bonnes minutes pour me calmer. Il était trempé. Il m'a enveloppée dans un grand peignoir moelleux, a enfilé des vêtements secs et nous nous sommes couchés près du feu, sur le canapé du salon. Il paraît que j'ai pleuré jusqu'à trois heures du matin.

Il m'a réveillée en m'apportant un grand café et du pain frais. J'avais du mal à ouvrir les yeux tellement ils étaient gonflés, mais j'ai quand même vu l'horloge. Dix heures du matin. J'ai fait un bond, mais il m'a recouchée.

Il s'était levé à cinq heures pour aller nourrir ses allaitantes et avoir le temps de traire mes vaches. Un amour.

Mes yeux ont mis une semaine à retrouver leur aspect normal.

J'ai imaginé aller casser la figure à l'autre salaud, ou tout dire à sa femme. Pas par vengeance, par solidarité. Pour lui ouvrir les yeux, lui dire de se barrer en courant. Mais ce n'était pas mon problème. Je n'ai rien fait.

— La vengeance, ça ne sert à rien, me disait Antoine.

— Ça défoule, je lui rétorquais.

— Fais du béton pour te défouler, ça te fera moins de mal et ça t'avancera dans ton travail.

C'est ce que j'ai fait. J'ai abattu une sacrée quantité de boulot dans les semaines qui ont suivi. Antoine est venu me tenir compagnie tous les soirs. On a parlé, parlé, parlé. Il a compris que j'avais mis un espoir fou dans ce type, parce qu'au fond, mon désir profond, c'était d'avoir un enfant.

— Tu as bien fait de ne pas en faire un avec lui. C'est quand même mieux d'avoir un peu d'estime pour l'homme que l'on fait géniteur.

— Mais l'homme pour qui j'ai la plus grande estime ne couche pas avec moi.

— Et pourquoi donc ?

— Parce qu'il est homosexuel.

Il n'a pas su quoi répondre. Il savait que j'avais raison.

Antoine s'était installé quasiment en même temps que moi, sur la ferme voisine. Alfred, l'ancien propriétaire, était mort quelques années plus tôt.

Il n'était pas du coin, et pour cause, il avait cherché l'endroit le plus isolé et le plus éloigné possible de sa région natale, le Cantal. Là-bas, il devait reprendre la ferme de son père, mais quand ses parents, et par voie de fait, les voisins ont appris qu'il préférait les hommes, ça s'est gâté. Il a reçu des lettres anonymes, subi des actes de vandalisme, des menaces de mort, et son père ne lui a plus parlé du jour au lendemain. Un truc de dingue. Lui qui est doux, sensible, le cœur sur la main, il n'a pas eu envie de lutter. Sa mère n'a rien fait pour trouver une solution. Elle trouvait aussi que c'était mieux pour lui de partir là où personne ne le connaissait. À moins que ce ne soit mieux pour eux. Antoine a voulu recommencer de zéro. Sinon, il aurait eu à se battre toute sa vie.

Et se battre contre la bêtise humaine. Autant essayer de faire mûrir des fraises sous la neige.

Moi, j'étais franchement soulagée que ce ne soit plus Alfred, mon plus proche voisin. Ce n'était pas un sale type, c'était un type sale. Mon grand-père avait la force de ne pas s'attarder sur ce détail. Moi, je n'y arrivais pas. Nous y allions régulièrement, pour soigner l'entente cordiale entre voisins et se soutenir dans les corvées collectives. Alfred Maier était un fils de soldat allemand. Sa mère, tondue pour l'occasion, avait tenu à lui donner le nom de son père, pour lui offrir une chance d'ouverture vers le pays de son père, au cas où ça tournerait mal pour elle. Finalement, elle a appris quelques mois plus tard que le soldat en question était mort, abattu par des résistants à la Libération. Au mauvais endroit, au mauvais moment. Elle a donc pris la ferme de ses parents trop vieux à bras-le-corps et son fils a pris la suite, naturellement. Quand la vieille Berthe était morte, Alfred s'était retrouvé seul, paumé, incapable de prendre soin de lui et de sa maison.

C'était un taudis. Une vache n'y aurait pas retrouvé son veau. La table, toujours encombrée de verres sales servait de piste d'atterrissage pour la nuée de mouches qui volaient partout dans la pièce. Roissy-Charles de Gaulle. Quand il proposait un coup à boire, il prenait quelques verres sales sur la table et les rinçait à l'eau du robinet. Moi, je n'avais jamais soif. Pépé était poli. Il prenait un coup de gnole maison, ce qui avait pour effet positif de désinfecter le verre en même temps. L'odeur dans la maison et dans son sillage était pestilentielle. Et puis, ce regard qu'il avait sur moi, un œil à moitié fermé et l'autre exorbité, me glaçait le sang. C'est le soir où j'en ai parlé à pépé qu'il m'a suggéré l'idée du couteau et de la ficelle dans la poche.

Et puis, un jour, nous sommes allés le voir pour lui emprunter une machine. On l'a cherché partout. Pas d'Alfred. C'était pourtant l'heure des *Feux de l'amour*, le feuilleton qu'il ne manquait pour rien au monde. Le pauvre, ça devait l'aider à tenir la solitude. Même les rares commerciaux qui s'aventuraient chez lui savaient l'horaire à éviter. Nous avons fini par entendre le chien gémir dans la grange. Il tournait autour d'une balle de foin. En s'approchant, nous avons vu dépasser ses deux pieds et ses deux mains, de chaque côté. Il devait être là depuis plusieurs jours parce que les mouches étaient toutes dans la grange. Avant de faire rouler la balle de trois cents kilos, mon grand-père m'a suggéré de sortir l'attendre dehors et d'aller prévenir les gendarmes. Je suis restée. J'en avais vu d'autres. Mais cette image-là, je m'en souviendrai toute ma vie. Sous la balle qui l'avait tué, nous avons découvert Alfred, plat comme un crapaud écrasé sur la route. Deux fois plus large. Ce sont les pompiers qui ont rapatrié le corps aux pompes funèbres, et je me suis toujours demandé comment ces dernières avaient fait pour le faire rentrer dans un cercueil.

Sa sœur aînée, qui n'avait aucun intérêt ni pour la ferme ni pour son frère, avait alors vendu l'exploitation à la commune.

C'est Antoine qui l'a louée quelques années plus tard.

On s'est entendus comme les deux doigts d'une main, et il m'a annoncé rapidement sa situation pour dissiper toute ambiguïté. Nous sommes devenus les meilleurs amis. Il était propre, il sentait bon, et les mouches restaient dehors.

Ce soir-là, quand je suis arrivée chez lui avec la lettre de Justin, c'est à lui que j'ai fait une déclaration d'amour, à laquelle il ne pouvait pas répondre.

Quelques semaines ont passé durant lesquelles ma mélancolie me suivait comme un petit nuage de moustiques au-dessus de la tête, les soirs d'été. On a beau faire un grand geste de la main, ils reviennent tourbillonner…

Et puis, j'ai commencé à évoquer l'idée d'aller me faire inséminer en Espagne. Je m'étais renseignée, tout semblait assez facile.

Trois jours après, j'ai trouvé sur mon bureau une fiche d'insémination, avec un petit mot griffonné : « Jeune taureau aubrac, fougueux, bien bâti, propose semence pour réaliser le rêve d'une jolie petite brune des Pyrénées. Production française. »

Je suis restée assise un moment à ce bureau. C'était dingue comme idée. À la fois assez affolant pour expliquer à cet enfant ses origines, mais tout aussi séduisant d'imaginer avoir un enfant d'un homme que j'aimais vraiment d'un amour sincère. Après tout, même si nous ne vivions pas ensemble, même si nous ne couchions pas ensemble, pourquoi cela aurait-il été plus absurde que de traverser les Pyrénées pour chercher quelques spermatozoïdes ? L'idée était de toute façon plus honorable que de faire ça avec le premier venu, au risque de tomber à nouveau sur un salaud comme Justin.

C'était le père parfait à mes yeux, pourquoi l'aurait-il été moins en étant homosexuel ?

— Suzie sait qui est son père ?

— Pour l'instant, non. C'est son parrain. Nous avons décidé d'attendre qu'elle soit un peu plus grande pour lui expliquer correctement les choses. Le fait qu'il soit parrain lui permet de la côtoyer et de l'éduquer comme un père.

— Mais, euh… J'ai une question peut-être un peu indiscrète…

— Comment avons-nous fait ?

J'ai surveillé ma température, tous les matins. Quand j'étais en période d'ovulation, trois soirs de suite, Antoine venait à la maison, il s'enfermait dans la salle de bains pour son affaire et me donnait la seringue dans la foulée.

Injection, poirier un quart d'heure et après, je ne me relevais pas avant le lendemain matin, pour laisser toutes les chances aux spermatozoïdes de glisser dans le bon sens. Il fermait derrière lui. De toute façon, il avait une clé de chez moi.

Nous avons essayé pendant trois mois. Rien. Je ne prenais pas. Pire que mes plus mauvaises vaches. On en riait avec Antoine. Déformation professionnelle.

Et puis, à la quatrième ovulation, il est sorti de la salle de bains sans rien dans la seringue. Il m'a dit : « Maintenant, ça suffit ! » J'ai cru qu'il renonçait, qu'il en avait assez de toute cette comédie ridicule. Je sentais les larmes monter. Il s'est approché de moi et m'a simplement dit : « Ce n'est pas comme ça qu'on fait un enfant. »

Cette nuit a été la plus belle de ma vie. Je ne sais pas comment il a réussi, il ne me l'a jamais dit, mais je n'ai pensé à rien, qu'à son corps sur le mien et ce pourquoi nous le faisions. Peut-être en a-t-il fait de même. Ou alors, il a pensé à Orlando Bloom à poil.

Peu importe, ce qui comptait, c'était qu'il arrive à faire quelque chose de son joujou avec une femme.

L'acte en lui-même, il est vrai, fut très mécanique. Il a gardé sa tête dans mon cou tout le long, procédant à des va-et-vient réguliers, puis de plus en plus rapides. Il suait comme lors d'une journée de foin, en plein été. Je me suis concentrée sur mon ovule, en l'imaginant chaud et lumineux, se promenant dans ma trompe, en attendant les assaillants.

Et puis, il a émis un souffle rauque et m'a dit qu'il avait fini. C'est après que le moment a été formidable. Il a voulu remettre son caleçon. Moi, j'étais bien, toute nue contre lui. Nous sommes restés enlacés jusque tard dans la nuit. Cette fois-ci sans larmes. Il m'a décrit le supposé périple de ses représentants chromosomiques à la manière d'un commentateur sportif durant le tour de France : « Et le maillot à pois est maintenant en tête pour franchir le col de l'utérus, classé en quatrième catégorie. La chaussée est particulièrement glissante, et la visibilité réduite. Mais, que se passe-t-il ? Le peloton s'est maintenant scindé en deux groupes, l'un en direction de la trompe droite, l'autre à l'opposé. Il n'y aura qu'un seul gagnant. Attention au dernier effort, pour atteindre le sommet de l'ovule, la fin de l'étape, mais qui gagnera le tour ?... »

Je ne riais pas, parce que je serrais les fesses très fort pour les garder au chaud. Mais comme j'étais heureuse...

Neuf mois plus tard, Suzie était là.

Quand la sage-femme nous a annoncé qu'elle devrait passer sous la lampe à UV pour soigner l'ictère qui la rendait jaune, nous avons éclaté de rire. Suzie était bien la gagnante du tour de France, avec son mini maillot jaune.

Olivier a souri. Un vrai sourire. Sans tristesse cachée derrière. Et puis, il m'a demandé s'il pouvait reprendre un peu de poulet.

— Bien sûr, il est là pour ça !

Ben, mince. Moi qui comptais sur les restes pour le début de semaine.

24

Je suis resté sans voix un bon moment après ses explications. Sincèrement, je ne savais pas quoi penser. Elle en a profité pour débarrasser la table et chercher le dessert. Je nous ai resservi un grand verre de cabernet, pour accompagner la tarte tatin, qui sentait bon la cannelle.

Plus j'y pensais et plus je trouvais étonnant qu'après avoir subi l'abandon pur et simple de sa mère, elle choisisse de vivre une histoire sans père, comme si elle voulait faire l'inverse de sa propre mère, et avoir un lien très fort avec son enfant, une exclusivité, celle qui lui avait fait défaut. D'un autre côté, il y avait un père. Mais pas tel qu'on l'imaginait dans le schéma classique. Moi et mes schémas classiques d'agricultrices d'un autre temps, de femmes seules en danger permanent, de petites filles ayant peur des araignées... Depuis que j'ai découvert cette ferme, ils sont sacrément malmenés, mes schémas classiques.

Elle m'a ensuite demandé si j'avais des amis en Ariège ou ailleurs, si je faisais du sport, une autre activité en club, ce que je faisais de mon temps libre. La réponse fut rapide, puisque je n'avais pas d'amis. Ni d'enfance ni d'après. À l'école, j'étais le souffre-douleur des autres, et après l'explosion de ma grenade, le fou dangereux qu'il fallait éviter. Quand on est un peu fragile, un peu trop sensible, dans une situation un peu bâtarde comme la mienne, on attire indéniablement les moqueries, et mes camarades de classes ne s'en sont pas privés. À la boulangerie, à la boucherie, à la poste du quartier, j'étais le « pauv p'tit gamin » dont personne n'avait voulu sauf la « pauv' p'tite vieille » en mal d'enfants, parce qu'ils étaient tous morts. Forcément, les gosses de mon âge en entendaient parler. Les six premières années à essuyer les torgnoles de mon père et les engueulades de ma mère, les dix suivantes à me cacher dans un coin de la cour, j'ai fini par me barricader dans ma solitude. Bien haut le mur, pour que personne ne risque de le franchir. Je me suis rendu désagréable, pour me protéger des autres. Si personne n'avait envie de me côtoyer, personne ne me ferait de mal. Une logique implacable. Comme mon système d'analyse binaire, dont la virgule s'appelle Marie.

— Je me disais bien qu'il y avait une faille, dit-elle tout bas.

— Une faille ?

— Non, rien, je me comprends, et vous faites quoi de votre temps libre à part du VTT ?

— Je dessine.

— Vous dessinez ?

— Oui.

— Quel genre ?

— Tout. Des portraits, des paysages, des animaux, des édifices.

— Vous me montrerez ce que vous faites ?

— Si vous voulez.

Elle avait l'air très intéressé par ce que je faisais.

C'était la seule chose dont j'étais fier. Mais je les gardais comme le trésor de Toutankhamon. Bien à l'abri. Même pour Marie, je me suis surpris à hésiter. Et si elle se moquait ?

J'allais réfléchir.

Elle, de son côté, m'a parlé de sa copine blonde, qu'elle n'avait pas lâchée depuis la primaire, et qui s'occupait de la sortir de temps en temps, comme on dépoussière la bicyclette que personne n'utilise dans la grange, pour la faire rouler un peu et vérifier qu'elle ne rouille pas. Un cinéma par-ci, les soldes par-là, quelques restaurants. Elle avait pour obsession de lui trouver un homme, mais n'avait aucune idée de l'idéal de Marie, contrairement à Antoine, qui le savait parfaitement pour avoir longuement échangé à ce sujet. Mais Marie l'aimait bien. Ça lui changeait les idées d'entendre parler de la vraie vie en société, ce qu'elle fuyait avec force.

Marie avoua qu'elle était d'un tempérament plutôt solitaire et qu'elle s'en satisfaisait pleinement. Et moi, je me demandais ce qu'Antoine savait de son homme idéal. Est-ce que, surtout, j'entrais dans les cases ?

Quand il y avait un blanc dans la conversation, je me prenais à imaginer ses tétons, enfermés dans leur bonnet, appelant au secours, au bord de l'asphyxie. Sur mon cheval blanc, l'épée du roi Arthur dans la main, je surgissais soudainement de nulle part, pour trancher les bretelles, entraves à leur liberté, et les voir pointer vers le soleil couchant.

Le cabernet vendanges tardives avait dû franchir la barrière hémato-encéphalique. Après le dessert, je lui ai demandé de me montrer sa technique pour neutraliser aussi facilement un individu de ma carrure.

— Pourquoi voulez-vous savoir ? m'a-t-elle dit en riant.

— Pour mon boulot, ça peut être utile.

— Vous n'apprenez pas ça à l'école des gendarmes ?

— Pas comme ça.

— Mais si je vous montre, je deviendrai vulnérable.

— Je vous ai promis de ne jamais recommencer.

— J'ai un peu trop bu, je ne sais pas si je serai très efficace.

— Moi aussi, j'ai un peu trop bu, je serai plus facile à mettre à terre.

Elle a hésité un instant, puis s'est levée pour décaler la table basse du salon. Sur le tapis, ce serait moins inconfortable, puisque c'était pour de faux.

— Mais avant, j'ai aussi quelque chose pour vous.

Elle a cherché un petit paquet, qu'elle avait planqué sous un coussin du canapé. Un cadeau. Un vrai cadeau. Une femme me fait un cadeau, à moi, Olivier Delombre, le type le plus seul au monde, après Robinson Crusoé. Un tee-shirt ! Avec une vache qui danse le charleston comme Joséphine Baker, des bananes autour de la taille.

— C'est le quatrième alinéa du protocole salle de traite : « Réparer les dégâts du troisième. »

— Je peux l'essayer ?

— Il est à vous !

Je n'ai même pas pensé à aller me changer ailleurs. J'ai ôté mon tee-shirt banal et j'ai enfilé celui-là sous ses yeux.

— Pile la bonne taille. Vous avez le compas dans l'œil !

— Oh, c'est à force de pointer la morphologie de mes vaches pour choisir le bon taureau.

— Et je suis un bon taureau, morphologiquement parlant ?

— Ordinaire.

Vlan !

Elle m'a souri, m'a pris la main en commençant à m'expliquer le mouvement. Je me suis laissé faire et me suis agenouillé. Pas le choix, la douleur était aussi intense que la première fois. J'ai fini plaqué au sol. Sans avoir vraiment suivi. Le cabernet, la vache à bananes, l'émotion… Le tapis était effectivement plus confortable. Elle s'est penchée sur moi. Je sentais son souffle sur ma joue. J'avais envie qu'elle m'embrasse. Elle a approché ses lèvres de mon oreille et m'a chuchoté :

— J'espère qu'aucune araignée n'est cachée sous le canapé.

Puis elle s'est redressée rapidement et m'a dit en enfilant un gilet :

— Je vais voir aux vaches si tout va bien.

Elle était déjà sortie quand j'ai réussi à me redresser. J'ai pris ma veste et j'ai couru dans la cour pour la rattraper.

— Vous faites ça tous les soirs ?

— Plaquer un homme au sol dans mon salon ou aller voir les vaches ?

— Les deux !

— Non, et oui. Des hommes, il n'y en a pas beaucoup qui passent par ici, et mes vaches, c'est un rituel.

— Vous allez leur dire bonne nuit ?

— En quelque sorte…

La soirée était fraîche. Elle avait pris soin de s'habiller pour sortir. C'est ballot. Elle me privait de l'occasion de réaliser le plus gros cliché romantique du monde : lui déposer ma veste sur les épaules.

Réveille-toi, Olivier, tu crois quoi ? Que ça fait quinze ans qu'elle manque de prendre froid tous les soirs sous prétexte que tu n'es pas là pour mettre ta veste sur ses épaules ?

Tu crois vraiment qu'elle allait oublier, juste ce soir,

de se couvrir, pour te permettre de jouer le banal séducteur de plage ?

De toute façon, elle ne semblait pas s'attacher aux clichés romantiques. Même si la rose du marché était en train de sécher à l'envers avec le petit mot sur le vaisselier de la cuisine.

Bien emmitouflée dans son gilet, elle m'a demandé pourquoi j'avais peur des araignées.

Il paraît qu'on se souvient de sa vie à partir de quatre ou cinq ans. Moi, j'ai tout oublié avant six ans, sauf deux choses. Le lait de chèvre et l'araignée. À croire que, quand on est malheureux, on s'en souvient mieux. J'avais trois ans et demi. Mes parents m'avaient mis au lit, sans histoire. Pas sans faire d'histoire, sans en raconter. On n'avait même pas de livres à la maison. J'ai découvert ça à la maternelle. Je m'étais donc couché sans histoire. Avec la lumière du couloir, j'ai vu une énorme araignée sur ma couverture. Alors, j'ai déguerpi de mon lit et j'ai appelé, mais ils m'ont dit de dormir. J'ai appelé encore et là, je me suis fait engueuler. Comme mon père avait la baffe facile, j'ai arrêté d'appeler. J'ai lutté pour la surveiller, mais j'ai fini par m'endormir sur le tapis, au milieu de la pièce. Le problème, c'est le lendemain soir, quand il a fallu se coucher et que je ne savais pas où elle avait disparu. Et là, j'ai fait des histoires pour aller me coucher. Je pleurais parce que j'avais peur qu'elle me monte dans l'oreille. Mon père en a eu marre, il m'a foutu une torgnole. « Comme ça, tu sauras pourquoi tu pleures. » Et ils m'ont enfermé dans ma chambre. Je ne l'ai jamais retrouvée. Depuis, j'ai une peur panique des araignées.

J'ai entendu Marie souffler entre ses lèvres : « Comment peut-on faire ça à un enfant ? »

Suffit d'être con.

Il faisait étonnamment bon dans l'étable et toutes les vaches étaient couchées. Elles émettaient un bruit bizarre, comme une sorte de long soupir rauque.

— C'est quoi, ce bruit ?

— Elles ronflent.

Elles étaient toutes là, parsemées dans la paille, à ronfler l'une à côté de l'autre. Nous les avons regardées un moment, elle avec son regard professionnel, et moi, celui du spectateur inculte. J'ai levé mon bras dans son dos, pour approcher ma main de son épaule. J'avais envie de la prendre dans mes bras, mais elle ne l'a pas remarqué et s'est baissée pour saisir une pelle et commencer à repousser l'aliment qui s'était éparpillé au milieu de l'allée, repoussé par des museaux imprécis. Les vaches, qui ronflaient la minute d'avant, se sont mises à ouvrir un œil par-ci par-là, réveillées par le bruit familier de la nourriture qui revient à leur portée. Certaines se sont levées calmement pour venir manger un morceau quand d'autres sont reparties dans un ronflement plus rauque encore. Le tableau était vraiment tordant.

Et puis, nous sommes retournés à la maison. Il était une heure du matin, et nous n'avions pas vu le temps passer. Je n'avais pas envie que la soirée s'achève, mais je savais qu'elle avait besoin de dormir, elle se levait quatre heures plus tard.

— Je vais y aller, ai-je dit à contrecœur.

— Vous rigolez ou quoi ?! Vous n'allez pas conduire avec tout ce que vous avez bu. Restez dormir ici, vous partirez demain matin.

J'ai eu comme une lueur d'espoir, elle voulait que je reste dormir ici, avec elle. Mon rêve le plus fou, le fantasme vers lequel mes neurones migrateurs s'étaient tournés dès qu'un silence s'installait pendant le repas. J'allais pouvoir libérer ses tétons prisonniers, déguisé en roi Arthur, et les voir pointer vers le soleil couchant, couché depuis longtemps d'ailleurs, et peut-être même que…

— Vous n'aurez qu'à dormir sur le canapé, je vais vous chercher des couvertures.

Ah.

Bon.

Tant pis.

D'un autre côté, avec ce qu'elle m'avait raconté, je pouvais comprendre qu'elle ne veuille pas précipiter les choses. Après tout, comment pouvait-elle être sûre que je n'étais pas un autre Justin, un sale type sans scrupule, qui l'enverrait balader sans explication après l'avoir envoyée en l'air sans précaution ? Moi, je le savais, mais bon, ce n'était pas écrit sur mon front. Allez, c'est vrai, la bibliothécaire et la voisine sont peut-être en train de penser la même chose de moi. Mais il y a rupture et rupture. Elles ont quand même eu droit à quelques explications, et moi à essuyer leurs larmes. Je préfère dégainer les mouchoirs et pouvoir me regarder dans le miroir que de partir comme un voleur et me détester en me rasant.

Mais donc, je ne suis pas si lâche que ça ? ! Si je ne suis pas allé la voir au marché, c'est pour une autre raison !

La timidité ?

C'est plus agréable comme défaut, ça, la timidité. Je prends ! Et je formate mon disque dur ! Je ne suis pas un gros lâche. Je suis timide, c'est tout.

Et puis, appelons un chat un chat. D'abord, ce n'est ni moi qui ai fait de l'œil à la voisine, ni moi qui ai glissé mon numéro de téléphone avec ma carte d'abonnement. Ensuite, avec ces deux filles-là, c'était de la mécanique.

Ou de l'humanitaire.

J'hésite.

Mais pas de l'amour.

Avec Marie, c'était différent. J'avais tout mon temps, et l'envie d'être tendre, sûrement nerveux, mais tendre. Et si on me proposait de finir ma vie avec elle, je signais les trois exemplaires en bas à droite, « Lu et approuvé », sans même essayer de déchiffrer les petits alinéas. L'intitulé du contrat me suffisait : « Finir sa vie avec Marie. » Et la condition suspensive m'enchantait : « Prendre soin aussi de Suzie. »

Je n'ai rien signé et j'ai dormi sur le canapé.

25

La soirée était agréable. Un jeu de séduction s'était installé, me donnant parfois l'envie de réveiller mes fourmis. J'ai découvert l'autre face de cet homme, que j'avais trop vite jugé. Première approche fâcheuse. Il était rangé dans la catégorie : Type sans intérêt. Pouvant être déplaisant. À éviter. En connaissant sa souffrance, je comprenais mieux son attitude. L'animal blessé dans toute sa splendeur. Un beau spécimen. Celui qui montre les dents parce qu'il a mal. Qui déserte la horde pour aller souffrir en paix. Qui, dans un réflexe pavlovien, évite tout ce qui lui rappelle insidieusement l'origine de sa blessure. Qu'avait-il connu de l'amitié ? Un rejet permanent et acharné, ne lui laissant aucune chance de se libérer du poids de ses origines et de sa situation. Qu'avait-il connu du couple ? Des querelles incessantes et violentes ou la tristesse d'un veuvage. De quoi lui passer l'envie. Moi, j'avais presque connu l'inverse. Pépé et mémé avaient vécu un amour sans faille, un amour tellement fort qu'ils n'ont pu vivre l'un sans l'autre. J'avais un repère magnifique, un objectif à atteindre, je voulais me réaliser à travers ce couple idéal.

Et parfois, malgré l'objectif en ligne de mire, on trébuche sur le chemin. Et on continue en clopinant.

Ou on s'arrête sur le bord, démotivé. Mes émotions s'étaient trompées. Cette recherche d'idéal avait anesthésié ma clairvoyance et mon image idyllique de la vie de couple s'était effondrée avec la brutalité et la lâcheté de Justin. Peut-être avais-je choisi ses bras pour oublier l'impossibilité d'Antoine. Puisque c'était lui, l'homme avec un grand H. Mon pépé à moi. L'homme pour lequel j'aurais eu envie de mourir de tristesse. Mais lui ne rêvait pas de femme…

Finalement, Justin me donnait l'excuse de tout rejeter en bloc pour qu'on me fiche la paix dans ma solitude, et que je garde Antoine, et lui seul. Que nous formions un couple à part, mais un couple quand même. Cet échafaudage tenait debout à condition de n'y ajouter aucune pièce rapportée. Ni de son côté ni du mien.

J'ai encore réfléchi à tout cela, une bonne heure avant de m'endormir. Tant pis, je ferai une sieste. Le dimanche, je lève le pied.

C'était bizarre de l'imaginer sous mon plancher, à dormir sur le canapé. Peut-être était-il déçu. Peut-être avait-il prévu de passer la nuit avec moi. Mais je n'étais pas prête, trop en équilibre sur l'échafaudage.

Chatte échaudée fait dormir le mâle sur le canapé.

Trois heures plus tard, quand je me suis levée pour traire, le matou ronflait comme mes vaches de la veille, avec un bras qui dépassait de la couverture et touchait le sol. Une rampe à araignée !

Je n'ai fait aucun bruit en avalant ma pomme et j'ai enfourné la brioche qui avait levé toute la nuit avant de partir faire la traite.

26

C'est la sensation de me sentir observé qui m'a réveillé. Ou l'odeur de brioche chaude. Un peu des deux certainement.

— T'as dormi là ?

Suzie, en pleine forme. Mon cerveau, dans le chloroforme.

J'ai grommelé quelque chose sans trop comprendre moi-même. Il n'était que sept heures. Pour un dimanche matin, ce réveil précoce était en soi brutal, mais précédé d'un samedi soir arrosé de vin et d'émotion, l'émergence n'en fut que plus douloureuse. Les neurones qui dansent la samba en nageant dans le cabernet toute la soirée font généralement la grasse matinée. D'autant plus que j'avais ruminé un moment – décidément, les vaches ! – d'avoir atterri sur le canapé, et ne m'étais endormi que deux bonnes heures plus tard. Je regardais le plafond, me disant qu'elle devait être juste au-dessus, en train de dormir paisiblement, peut-être nue sous sa couette. Je m'étais endurci sous la mienne. Le gamin qui rêve de barbe à papa, qui en a une énorme sous le nez et qui n'a pas le droit d'y toucher. Même pas d'y goûter.

— Tu peux m'indiquer la salle de bains ?

— En face de l'escalier, en haut. Si tu veux une serviette, elles sont rangées sous le lavabo. S'il y a une araignée dans la baignoire, tu m'appelles !

Mmmmmh, oui, c'est ça.

Débarbouillage rapide, extase vésicale.

Pas d'araignée.

En redescendant, Suzie avait préparé le petit déjeuner pour trois, sans même me demander si je restais. J'ai commencé à lui expliquer que j'allais partir, que j'aurais déjà dû ne plus être là, mais que je n'avais pas pu prendre la voiture hier soir.

— Pourquoi ?

Pourquoi ? Pourquoi ? C'est malin, maintenant, il faut que je lui explique pourquoi !...

— Parce que t'avais trop bu ? Maman ne veut jamais qu'il prenne sa voiture, Antoine, quand il a un peu trop bu. C'est pas souvent. C'est bête, parce que j'aime bien quand il dort à la maison. Je me sens rassurée.

Marie est entrée à ce moment-là, avec du lait de la traite.

— Il peut prendre le petit déjeuner avec nous, maman ? Dis oui ! Dis oui !

— Il faut lui demander, ma puce.

— Tu restes manger ? Dis oui ! Regarde, j'ai déjà préparé un bol pour toi.

Un échange de regards avec sa maman a suffi. La petite me coupait déjà un morceau de brioche en me demandant si je préférais le bout ou le milieu. Suzie n'avait de cesse de s'occuper de moi, et moi de regarder sa mère.

Même pas un cerne de fatigue aux coins des yeux. Mais comment faisait-elle ? ! Je ne l'ai pas entendue se lever ce matin. J'espère que je ne ronflais pas. Ma vache, en tout cas, dansait toujours le charleston.

Depuis que Marie était dans la pièce, mes neurones commençaient doucement à ouvrir un œil, comme les vaches de la veille quand l'aliment revenait les narguer.

J'avais faim.

27

L'enthousiasme qu'exprime Suzie à voir Olivier chez nous commence à m'inquiéter. C'est trop rapide à mon goût. Et si, malgré le statut de parrain qu'endosse Antoine, elle est en manque de père ? Et si elle voit en ce nouveau venu un père idéal, même si ce n'est pas le vrai ? Et si je me mets à penser comme elle ? Que lui dira-t-on, quand elle aura l'âge de comprendre d'où elle vient ? La vérité, bien sûr, mais cela complique la situation. L'échafaudage tangue un peu avec le vent. Ou alors, c'est Suzie qui se balance dessus avec ardeur.

Arrête d'y penser, Marie. C'est fait. Maintenant, il faut assumer. Et advienne que pourra.

Olivier avait manifestement du mal à émerger. Il a quand même repris trois fois de la brioche. Suzie voulait l'imiter, mais mon regard l'a arrêtée dans son élan. Ce n'était pas digeste. Qu'il soit malade tout l'après-midi sur son canapé, ça m'était égal ; pour Suzie, un peu moins.

Il est parti immédiatement le petit déjeuner achevé. Je l'ai accompagné jusqu'à sa voiture après avoir éloigné Suzie qui nous tournait autour comme une guêpe près d'un pot de miel. Elle lui avait dit trois fois au revoir, en lui sautant au cou. Je l'ai envoyée chercher les œufs avec Albert.

Il m'a embrassée sur la joue et y a longuement posé sa main. C'était drôle, exactement le même geste qu'Antoine la veille. Certainement pas la même signification.

Antoine me connaît mieux que moi. Ça en devient vexant. Après les roses, l'invitation et le vêlage difficile, il m'avait prédit que je tomberais amoureuse.

Ce matin, la main d'Olivier sur ma joue a soulevé le couvercle. Je voulais prendre le temps et je suis dépassée.

Qu'est-ce que le temps peut bien faire contre ce genre de sentiment ?

Rien.

Un jour, on se rend compte que c'est trop tard. On y pense un peu plus souvent, et le cœur bat dans les tempes, et partout ailleurs.

Ses confidences de la veille avaient eu sur lui le même effet que de frotter une coupe en argent, noircie avec le temps. On en connaît sa vraie valeur quand elle se met à briller et l'envie de s'y désaltérer est plus évidente. Je n'avais plus très soif depuis Justin, un plaqué or *made in China* de mauvaise qualité. Une apparence rutilante et un fond qui ne valait rien quand on grattait un peu. J'étais bien décidée à frotter encore un peu Olivier pour être sûre de la marchandise.

Peut-être était-ce Suzie qui avait raison, les enfants fonctionnent à l'instinct. À connaître ses faiblesses, il n'en était que plus attachant. Elle avait découvert sa phobie des araignées, moi, son enfance difficile.

Je sais que, pour la plupart des femmes, l'homme idéal est viril et fort.

Moi, je les aime humbles, fragiles et émouvants.

Ça ne l'empêche pas d'avoir un torse à faire tomber les femmes comme des mouches.

Mais je ne suis pas une mouche. Les mouches, je les vois se faire griller dans la fromagerie, trop bêtes pour résister à la lumière bleue.

Elles veulent jouer à *Star Wars* et Gzzzzzzz.

Je me méfie de la lumière, maintenant.

À moins que ce ne soit son côté sombre qui m'attire.

28

J'ai passé le dimanche chez moi. Je loue un petit studio de plain-pied avec un mini jardin. Le soleil donne tout l'après-midi sur la terrasse. Le reste serait bien parti faire du vélo, mais mon ventre n'avait aucune envie de bouger. Je suis resté allongé au soleil, avec mes crayons, mon carnet à dessin et mon tee-shirt vache. Je pensais à elle et mon ventre à sa brioche. J'ai tout dessiné, son visage, ses mains, sa fille, sa ferme, son chien, ses vaches ronflant dans la paille. Je suis un psychopathe du croquis. Si un jour, je meurs aussi célèbre qu'un pharaon, et qu'on m'enterre avec mes cahiers, les archéologues, dans deux mille ans, pourront reconstituer toute ma vie.

Célèbre comme un pharaon. Tu parles ! Je n'ai même pas pu jouer au roi Arthur.

Notre prochaine rencontre ? Aucune idée. Nous nous sommes quittés sans rien prévoir. Je sens qu'il lui faut du temps. Ce connard lui a vraiment fait du mal. Ça vient peut-être de là, aussi, le caractère. Hier soir, je l'ai trouvée douce. Et ce type n'a été qu'une grosse brute, dans l'amour et dans la fuite.

Finalement, elle n'a pas un sale caractère, elle a du caractère, pour se défendre face à l'agresseur, en l'occurrence ce que j'ai été les premières fois. Elle a dû en décourager plus d'un. Mignonne, mais intouchable, presque virile, mais finalement corps de velours sous une armure de fer. Et moi, ça me plaît bien.

Peut-être à cause des chevaliers cathares.

Peut-être parce qu'elle essaie de comprendre ma chienne de vie et qu'elle me voit en profondeur. Derrière les remparts. C'était la première fois que je me confiais. Que quelqu'un m'attendait sans arrière-pensée et s'intéressait à ma vie, et non qu'à mon corps. Certes de rêve. Il faut bien que j'aie quelque chose de positif, non ? Hier soir, elle s'en fichait de ce corps et de ce que j'étais capable d'en faire. Elle voulait mieux me connaître. Et en me questionnant, elle me révélait. Aujourd'hui, j'ai le sentiment d'avoir vécu en négatif depuis toujours. Elle est en train de développer la vraie photo, sur papier glacé. Moi qui ai toujours eu une désastreuse estime de moi, je commence à me trouver des qualités. Ma crise de la quarantaine s'annoncerait-elle généreuse et agréable ?

J'y suis retourné le mercredi suivant. Je savais que Suzie serait là, et qu'elle serait contente de me voir. En arrivant en début d'après-midi, Albert est venu m'accueillir en cherchant quelques caresses. La porte de la cuisine était ouverte sur la cour. J'ai frappé au carreau en regardant discrètement s'il y avait quelqu'un. Maison vide.

Je les ai entendues chanter dans la salle de bains et rire à la fin du refrain.

— Il y a quelqu'un ?

— Dans la salle de bains ! Monte, Antoine !

Ah. Mais je n'étais pas Antoine. Fallait-il monter pour autant ? J'ai hésité. Et puis, la porte s'est ouverte sur le visage de Marie.

— Ah, c'est vous. Je croyais que c'était Antoine. Eh bien, montez quand même, j'ai presque fini.

Elle terminait de couper la frange de sa fille. Il y avait des cheveux partout et Suzie s'admirait dans un petit miroir de poche.

— Tu veux aussi qu'elle te coupe les cheveux ?

— Suzie ! Arrête, il n'a peut-être pas envie.

— Bah, c'est drôle, je devais prendre rendez-vous la semaine prochaine, je me disais justement qu'ils commençaient à être longs, ai-je répondu sans mentir. Mais c'était juste une petite pause pour venir dire bonjour, j'enquête cet après-midi dans un village voisin, et puis, je ne voudrais pas vous retarder.

— Pas du tout. Maman est rapide, et elle adore ça.

— Dis donc chipie-couette-couette, tu vas me laisser parler un peu, oui ? ! C'est vrai que j'aime bien. Ça ne me dérange pas. Tant qu'à avoir des cheveux partout, autant enchaîner. Si ça ne vous fait pas peur de vous faire coiffer par une trayeuse de vache.

Peur ? Pas du tout. Je m'en fichais du résultat, même si c'était raté. Je ne me coiffais jamais. Un essuyage rapide après la douche, un passage avec les doigts et je laissais sécher. Et puis, les cheveux de Suzie n'avaient pas l'air d'être coupés de travers.

— En échange, si après, vous pouvez m'enlever une écharde. Celle-ci est mal placée, je n'y arrive pas.

Je pouvais essayer. Madeleine m'a appris la couture quand j'étais petit. Marie a sommé Suzie de finir de ranger sa chambre avant de partir, elle était invitée à un anniversaire dans le village, en milieu d'après-midi.

Je me suis assis sur la petite chaise de bureau dont le dossier était incliné vers le lavabo. Elle a accroché une serviette autour de mon cou et a commencé à me laver les cheveux.

J'ai fermé les yeux et j'ai savouré l'instant. C'était la première fois qu'elle me touchait autrement que pour me tordre le poignet comme une serpillière. Ses dix doigts allaient et venaient sur mon cuir chevelu. J'en avais des frissons tout le long de la colonne vertébrale. Mon visage était à la hauteur de ses seins et je sentais parfois son téton effleurer ma joue à travers le tee-shirt, quand elle se penchait un peu plus. Aaaaaah. J'essayais de maîtriser ma respiration, pour ne rien laisser transparaître, mais ça devenait de plus en plus difficile.

Et puis, elle a rincé.

C'était mieux ainsi.

La suite a été plus banale, le contact du peigne et des ciseaux étant nettement moins exaltant. La coupe était parfaite. Mais comment savoir si j'étais encore objectif ? Ma coiffeuse ne frottait pas ses seins sur ma joue. Et surtout, je n'étais pas amoureux de ma coiffeuse.

Je suis reparti avec une nouvelle coupe et l'envie, plus que jamais, d'extraire ma chair de la marinade dans laquelle elle semblait se complaire à me laisser. Suzie m'a sauté dessus au sortir de la salle de bains pour me regarder sous toutes les coutures. Comme je repartais vers le village, je l'ai déposée chez sa copine. Nous avions dix minutes de route.

— C'est quoi, ce truc bleu ?

— Le gyrophare. Tu veux que je le mette ?

— Ouaiiiiis ! Et il y a une sirène avec ?

— Attends qu'on soit dans la forêt et je la mets un petit coup.

Les animaux sauvages ont donc pu voir passer une voiture de la police nationale, sirène hurlante, avec à son bord une petite fille joyeuse et un flic satisfait. De sa nouvelle coupe et du reste. Son for intérieur prenait des couleurs.

En sortant de la voiture, elle m'a demandé quand je revenais et si j'étais amoureux de sa maman…

— Pourquoi tu me demandes ça ?

— Parce que ça se voit, comme le nombril au milieu du ventre !

— C'est pas comme le nez au milieu de la figure ?

— Ah si ! Enfin, ça se voit quand même !

— Tant que ça ?

— Tu la regardes tout le temps, tellement que tu as oublié de lui enlever son épine du doigt.

Mince ! Son écharde.

J'y suis retourné. Tant pis pour ce soir, je finirais plus tard. Elle était surprise de me voir revenir.

— Ce n'était pas la peine, j'aurais survécu.

— Ah, pas sûr. Je ne voulais pas prendre le risque.

On s'est installés sur le banc au soleil, pour y voir clair. J'avais la tremblante du mouton avec mon aiguille et sa main dans la mienne. Je l'aurais bien embrassée et je m'apprêtais à la charcuter. Quand j'ai posé l'aiguille sur son doigt, elle a crié. Je n'avais encore rien fait. Je l'ai regardée, soucieux de lui faire mal. Elle souriait à sa blague.

— Mais non, j'rigole ! Vous pouvez y aller. Je ne suis pas sensible. Je laisse ça aux hommes ! Vous aussi, vous vous évanouissez quand vous vous coupez le doigt avec une feuille de papier ?

— Ah non ! J'ai eu le privilège d'avoir une enfance qui endurcit.

— Ah, pardon. Je suis désolée. Je suis vraiment gourde.

Elle l'était vraiment. Pas gourde. Désolée. Elle n'a plus osé rien dire.

— Pourquoi, vous en connaissez ? ai-je recommencé.

— Antoine ! a-t-elle répondu, en éclatant de rire. Il

pourrait faire une césarienne à une vache, mais dès qu'il se blesse, il devient blanc comme du lait.

C'était parfait. D'imaginer Antoine, un malabar, tomber dans les pommes à la première coupure m'a fait oublier que je lui tailladais le pouce.

C'était un début de relation bizarre. Elle me mettait au sol en me tordant le bras, je lui entaillais le doigt.

Chassez l'émotionnel, il revient au galop. J'avais beau penser à autre chose, sa main, juste là, me troublait. À trente-huit ans, c'était la première fois que je tenais ainsi la main d'une femme. Avec tendresse.

Comme quoi, la recherche d'une écharde à l'aide d'une aiguille de couture peut être étonnamment sensuelle.

Bien sûr que ça valait la peine de revenir.

29

— Bonjour, c'est Marie. Je vous appelle d'une cabine, sur la place du marché. C'est toujours vous qui venez me voir, alors comme j'ai plié mon stand un peu en avance, je me suis dit que je pourrais passer vous dire bonjour, vous m'aviez promis de me montrer vos dessins.

— Euh… eh bien… oui, je suis chez moi. Je n'ai pas grand-chose à manger, mais je peux commander une pizza.

— Non, non, je ne resterai pas longtemps, Suzie m'attend.

Il me donne l'adresse. C'est à deux pas, et j'y suis en quelques minutes. Il m'ouvre un peu gêné, comme si je le prenais en flagrant délit.

— C'est un peu le bazar, je ne m'y attendais pas.

Le bazar ? C'est plus rangé que chez moi ! Le studio est petit, mais fonctionnel. Je m'attendais à une autre ambiance pour un flic. Je ne sais pas à quoi, des posters de films d'action, peut-être. Des choses viriles, masculines. Rien de tout cela. Un magnifique piano, surmonté d'une bougie et d'un petit bouddha en cire rouge. Beaucoup de livres. Une orchidée blanche à deux branches, tiens ! Une reproduction d'un Picasso. *Guernica.* Je lui demande pourquoi celui-là. Il me répond pour conjurer son enfance. Je crois que je ne mesure pas tout ce qu'il a traversé. Il me propose d'aller à la cuisine pour boire un verre. Sur le frigo, des dessins sont accrochés. Je reste ébahie. Il y a celui que Suzie lui a offert, en bonne place, et juste à côté, un splendide portrait d'elle. Il y a Albert, la ferme. Il y a moi.

— Comment faites-vous ?

— Je dessine sur une feuille avec des crayons.

Je ne relève même pas sa réponse débile. J'aurais pu en rire, mais je reste bouche bée.

— Non, mais tous ces détails, cette qualité de trait !

— Je suis très observateur et j'ai une bonne mémoire.

— Suzie est magnifique. On dirait une photo.

— Il faut dire que j'ai eu le temps de l'observer quand vous m'avez attaché.

Je lui souris. J'ai bien fait, finalement. Il n'aurait pas pu apprendre son visage par cœur s'il était parti tout de suite.

Parmi ces dessins, un grand visage de femme âgée.

— C'est Madeleine ?

— C'est Madeleine.

— Elle est très belle.

— Je la connais par cœur aussi.

— Elle compte beaucoup pour vous ?

— Énormément.

— Et vous dessinez souvent ?

— Tout le temps.

Il me montre alors son étagère dans le salon. Un rayon entier de cahiers à spirale. Il m'en donne un. Il est rempli de dessins tous plus beaux les uns que les autres. Je reste sans voix. Il est assis à côté de moi et se tortille les mains.

— Vous semblez nerveux !

— C'est la première fois que je les montre.

— Vraiment ? Quel dommage, C'est magnifique.

— Merci. Je suis content que Suzie aime dessiner. Moi, ça me fait du bien. Ça me tient compagnie et ça me permet d'exprimer ce que j'ai au fond de moi.

— Pourquoi ne pas en avoir fait votre métier ?

— Parce que ça ne paie pas. Ou pas de façon régulière et certaine. Pour aider Madeleine, il me fallait un boulot qui rapporte de l'argent rapidement.

— Et maintenant ?

— Maintenant ?

— Vous n'avez pas envie de changer ?

— C'est difficile de changer de vie.

— Pourquoi ?

— L'insécurité ? La peur de l'avenir ? Partir sans rien de côté ?

— J'aurais aimé tous les feuilleter. Mais il faut que je file.

— Il faudra revenir, dit-il avec un grand sourire.

— Je reviendrai…

— Quand ?

Je ne réponds pas. Je l'embrasse sur le coin de la bouche et je me sauve sans qu'il ait le temps de réagir.

Il a bien caché sa caverne. Comment peut-il y avoir une telle différence entre le fond et la surface ? C'est un artiste contrarié. Comme les gauchers. Il devait être doux, sensible, ouvert, chaleureux, et on lui a imposé la froideur, l'austérité, la droiture. Et sa contrariété se dessine sur le papier.

Je le trouve très beau, maintenant. Je suis comme ça. Il me faut superposer le calque de la caverne sur l'apparence du visage pour voir les gens réellement.

J'ai envie de le revoir.

30

Si quelqu'un me voyait, il me trouverait crétin. Elle m'a embrassé. Embrassé. Presque sur la bouche. Oui, presque. Pas tout à fait sur les lèvres, mais plus tout à fait sur la joue. Et je suis pire qu'un gamin, je n'ai plus envie de me laver. C'est débile, ridicule, grotesque. Mais tellement bon. Moi qui croyais qu'on pouvait s'affranchir de ce genre de réaction pitoyable, passé l'âge des boutons sur le nez et du duvet sur les joues. Même pas.

C'est comme si elle avait soulevé le couvercle de la marinade pour toucher la chair et voir si la viande était assez tendre pour la cuisson.

MAIS JE SUIS PRÊT À CUIRE !!!

Combien de temps va-t-elle encore me faire attendre ?

Je m'assois sur mon canapé et je ferme les yeux, pour essayer de garder son odeur en mémoire. Celle de ses fromages. J'aime bien quand elle sent le fromage.

Ça se marie bien avec ma baguette croustillante. J'ai le cerveau en coton, et le cœur qui palpite. Je la revois devant mes dessins, comme jamais je n'avais vu personne. Attentive, admirative. Forcément, elle était la première à qui je les montrais. Tout le monde serait peut-être attentif, admiratif. Mais le monde, je m'en fiche. C'est d'elle que j'ai envie de recevoir l'attention, l'admiration. Les autres ne me jouent pas un air de samba. Ils ne me révèlent pas tel que j'aurais dû toujours être. Ils ne m'incitent pas à sourire sincèrement. Parce que oui, avec Marie, j'ai retrouvé le goût du sourire sincère. Le goût de vivre. Et si je regarde bien dans mon dos, je suis sûr de trouver deux petites boursouflures. Deux ailes en préparation. Gare à moi si tout ça est faux. Je tomberai de haut et m'écraserai au sol comme une vulgaire bouse de vache, molle et nauséabonde.

Mais rien que pour la sensation que j'éprouve là, en ce moment, je suis prêt à prendre le risque.

C'est terrible de se quitter sans jamais prévoir la fois suivante. Terriblement excitant et terriblement frustrant. Je voudrais sauter dans ma voiture et la rattraper sur la route, l'entraîner à l'arrière de sa camionnette et lui faire l'amour au milieu des fromages, je voudrais qu'elle revienne, tout de suite, pour poursuivre sur la bouche ce qu'elle a commencé sur le coin. Et je ne peux pas, parce qu'elle a besoin de temps.

Relativisons, voyons. Ça fait vingt ans que tu attends. Tu n'es plus à ça près. Les fruits mûrs sont bien meilleurs. Et voilà que je l'imagine en fruit. La peau douce comme une pêche. La chair juteuse comme un melon. Deux petites framboises au bout des seins, des fesses fermes comme deux grosses pommes.

Ça y est, elle est finie, ta salade de fruits ?

Non, non, il manque la banane ! Elle arrive…

C'est mon téléphone qui me sort de mon état second. Jacqueline, la voisine de Madeleine. Je n'aime pas ça. Non, rien de grave, mais il faudrait que je vienne, Madeleine me réclame. Non, en fait, elle ne va pas très bien. Elle est faible depuis quelques jours. D'accord, je viens.

Je mets quelques affaires que je bourre dans un sac de sport, mon carnet et mes crayons, toujours, et je prends la voiture pour chez Madeleine.

Moi qui étais en train de réfléchir à la prochaine occasion où je pourrais goûter à la salade de fruits.

J'appelle le commissariat, pour prévenir que je pars dans le Pays basque pour une urgence familiale. Il me reste des jours de congés à poser, ça tombe bien. J'en aurai peut-être besoin. Je prendrai le temps pour Madeleine et ne repartirai que quand elle ira mieux. Elle s'est assez occupée de moi ! Renvoi d'ascenseur.

31

Là, je crois que j'ai mis le doigt dans l'engrenage. C'est un peu lâche de ma part de m'être sauvée ainsi. Mais ce n'était pas grand-chose, non plus. Un petit bisou sur le coin de la joue. Un petit bisou comme ça, ça n'engage à rien, n'est-ce pas ? Je peux encore faire marche arrière, non ?

Ça m'a pris sans réfléchir. J'étais tellement émue par ses dessins que j'avais envie de le remercier. Et je n'ai rien trouvé d'autre. Le problème, c'est que je sais qu'il attend plus. Et que maintenant, il va croire que c'était l'apéritif avant le gros repas. Je ne suis pas naïve, non plus. Il est d'une grande discrétion dans son plan d'attaque, pas comme Justin qui, avec le recul, avait sorti l'artillerie lourde, et moi, le drapeau blanc. Il n'empêche, un homme qui me tourne autour, même secrètement, je le sens. Sûrement mon côté ophtalmo qui voit à l'intérieur.

Non, pas jusqu'au slip.

Même Suzie m'a dit qu'il était amoureux de moi et que ça se voyait gros comme une ferme. Elle détourne toujours les expressions qu'elle entend, ça me fait rire. Qui vole un œuf, vole une vache. Vouloir le beurre et l'argent du fromage. Avoir les yeux plus gros que les fesses. Et ma préférée : il ne faut pas tuer la peau de l'ours avant de l'avoir achetée.

L'autre soir, elle m'a demandé quand est-ce que j'allais l'embrasser, parce qu'elle, avec son amoureux, ils s'étaient déjà embrassés dans la cour. Ah, si les histoires des grands étaient aussi simples et jolies que celles des petits…

Et puis, les jours ont passé. Sans nouvelle. Le petit bisou datait de samedi. Je pensais qu'il passerait dimanche. Personne. Le mercredi, non plus. Même pas un message. Quelle drôle d'idée aussi que de se quitter sans jamais fixer la fois suivante. Peut-être pour ne pas s'obliger à admettre qu'il y aurait une fois suivante, donc un début de relation. J'ai commencé à m'inquiéter, et ça, c'était vraiment le signe que j'avais mis le doigt dans l'engrenage. Je craignais qu'il lui soit arrivé quelque chose. Qui penserait à me prévenir, moi ? La minute d'après, j'imaginais qu'il ne voulait plus me voir. Et je repensais à ce salaud de Justin qui était parti sans prévenir. Mais je n'y croyais pas. Pas lui, pas maintenant, pas comme ça. Justin n'avait rien au fond de lui, sauf de la lâcheté. Alors qu'Olivier… Et puis, nous n'avions pas encore consommé. S'il était de ces machos qui se barrent après avoir eu ce qu'ils voulaient, ça ne collait pas. De la peur, alors ? Peur de s'engager, de s'attacher, peur de ma situation bancale, ou que l'échafaudage lui tombe sur le coin de la figure ?

Le vendredi après-midi, j'ai téléphoné à la brigade en demandant à lui parler.

— C'est à quel sujet, madame ?

— C'est pour l'enquête de Jean-Raphaël Martin.

Un petit mensonge n'a jamais tué personne.

— Je peux prendre le message ? Monsieur Delombre n'est pas là.

— Il n'est pas là ? Je voudrais lui parler à lui, directement. Quand revient-il ?

— Je ne peux pas vous répondre, il a posé des congés toute la semaine, nous ne savons pas encore quand il revient. Une urgence familiale, je crois.

J'étais rassurée, il ne lui était rien arrivé. Mais pourquoi ce silence ? Si c'était familial, c'était forcément Madeleine. Ou l'un de ses parents ? Revenu ? Mort ?

Je suis allée faire la traite, préoccupée. Les vaches étaient nerveuses. C'est dingue comme elles peuvent sentir mes états d'âme. Pas besoin d'un psy. J'observe mes bêtes pendant la traite et je sais comment je vais. Et puis, mon psy, c'est Antoine. Je l'ai consulté après le dîner.

— Aha ? Il te rend la monnaie de ta pièce ? Tu l'as tellement fait attendre. Peut-être qu'il te teste !

— C'est toi qui m'as dit de le laisser mariner !

— Ben oui, et alors ? Ma stratégie n'excluait pas qu'il te laisse mariner aussi. Ça a du bon, non ?

— Non !

— Mais si. Tu es en train de t'inquiéter. Si tu n'en avais rien à foutre de lui, tu n'y penserais même pas.

— Et alors ?

— Et alors, t'es amoureuse et tu sais ce que ça veut dire ?

— Non.

— Que j'ai encore raison.

— Mmmmh…

— C'est rageant, hein ?

— Oui !

— Moi, je ne m'en lasse pas !

— Et en attendant, je fais quoi ?

— Ça !

— Quoi ça ?

— Tu attends.

J'ai couché Suzie qui me demandait quand Olivier allait revenir nous voir. Elle trouvait déjà le temps long. Plus que moi. Quoique, à y réfléchir…

J'ai pris un bain, pour me détendre. Bouillonnant, il aurait été d'un grand secours pour mon nœud dans le ventre. Moins que le nouveau tracteur pour le travail à la ferme. C'est la vie.

Et puis, je suis redescendue me changer les idées et provoquer la fatigue, en complétant quelques papiers pour l'exploitation, à la table de la cuisine. Des dossiers pénibles où la concentration est indispensable. Si je pensais à autre chose en cochant les cases, je risquais de me tromper et je ne recevrais pas le chèque de subvention à la fin de l'année. L'appât du gain pour fuir l'anxiété et le manque. Enfin, au point où en sont les agriculteurs, ce n'est plus l'appât du gain qui les motive pour remplir les formulaires, c'est l'instinct de survie. Il n'y a pas que les vaches dans la vie. Le paysan est aussi comptable, secrétaire, météorologue, vétérinaire, mécanicien, botaniste, tout ça pour une bouchée de pain. Du moins, quand il gagne de l'argent. Parfois, il en perd, si, si, il en perd malgré le travail titanesque qu'il fournit chaque jour. Les présidents successifs ont beau tapoter le cul des vaches au Salon de l'agriculture pour faire semblant d'aimer les bouseux, ils ne font quand même rien pour stopper l'hémorragie. Pas assez de jeunes pour remplacer ceux qui partent à la retraite. Alors, trouver quelqu'un pour prendre la suite du type qui s'est pendu dans sa grange parce que c'était trop dur de boucler les fins de mois, ou de finir vieux garçon étant donné qu'aucune femme ne voulait venir vivre à la ferme dans la merde et la pauvreté, à part peut-être une Slovaque. Et encore. Moi, je m'en sors plutôt bien. Je transforme et je fais de la vente directe. Personne pour m'imposer un prix pour mon lait. Je calcule ce qu'il me faut pour vivre. Et puis, les gens sont prêts à payer le beurre un peu plus cher avec un joli sourire de la crémière. Alors, je fais des jolis sourires. Mais j'ai de la peine pour tous les autres.

Aux réunions du syndicat, je suis saisie d'une sorte de mélancolie enragée quand je vois un grand gaillard de cent kilos qui prend la parole en commençant virulent et qui finit par ne plus prononcer qu'une syllabe sur deux parce qu'en même temps, il essaie d'avaler ses larmes, qui, tellement nombreuses, finissent par sortir quand même. Au bout du compte, il pleure comme une madeleine parce qu'il ne sait plus comment faire ; de toute façon, il n'en a rien à foutre de ce que vont penser les autres, qui, au passage, ravalent les leurs en silence, parce que pleurer devant tout le monde, c'est l'étape avant de laisser une lettre sur la table de la cuisine et aller se tirer une balle dans le grenier. Ça me donne envie de monter à Paris, le drapeau français dans la main et un bonnet phrygien sur la tête pour aller mettre un coup de pied au derrière du ministre de l'Agriculture, qui ne connaît de celle-ci que ce qui est écrit dans les rapports souvent fournis par des gens qui, soit ne connaissent rien à notre travail, soit ont des intérêts contraires à notre profession. Il dirait quoi, le ministre, de se lever tous les matins, trois cent soixante-cinq jours de l'année, et même, même, trois cent soixante-six, les années bissextiles, bosser quinze heures par jour, dans le froid en hiver avec des gerçures aux coins des ongles qui vous font hurler chaque fois que vous vous lavez les mains ou que vous vous cognez bêtement le doigt, dans la chaleur de l'été à prier que l'orage qu'on entend gronder au loin ne vienne pas pile sur le foin qui termine de sécher, tout ça pour entendre le banquier qui est désolé, mais ne peut pas faire autrement que de mettre toutes les semaines des commissions d'intervention parce que le compte est désespérément à découvert ? En plus des agios, hein ? ! Le vautour.

Mais je n'ai pas d'aussi jolis seins que Marianne. Ça a dû jouer, non, ses jolis seins, dans la Révolution ?

Voilà, ce soir-là, j'étais dans mon renfrognement habituel, celui qui s'installe dès que je pense à l'avenir de la profession, quand le téléphone a sonné.

— C'est Olivier.

Je n'étais même pas soulagée. Sa voix me filait des frissons dans le dos.

— Ça ne va pas ?

— Madeleine est morte.

Il m'a dit ça sans émotion. Froidement. La carapace, pour se protéger. Ne pas montrer qu'en dessous, c'est fragile. Vulnérable. Mais je savais qu'en dessous, c'était fragile, et qu'il devait se noyer dans un océan de larmes. Tout garder à l'intérieur pour ne pas se dévoiler. Typique des hommes ! Même Antoine. Ça doit venir du chromosome Y.

J'ai attendu, pour lui laisser une chance de parler, mais il avait besoin d'aide.

— Que s'est-il passé ?

— Une maladie du sang, foudroyante. Je ne peux pas beaucoup parler, mais j'avais besoin de vous le dire.

— Je suis désolée. Vraiment. Ça me fait beaucoup de peine. Quand a lieu l'enterrement ?

— Lundi après-midi… Pardon de ne pas avoir appelé avant.

— Ce n'est rien.

Et il a raccroché.

Je suis restée un long moment avec le combiné sur l'oreille.

J'avais envie que France Télécom invente sur-le-champ le moyen de me transporter dans les fils, jusqu'à lui, pour le serrer fort. Tout ce qu'on me proposait, c'était un tut-tut rapide. Tu peux raccrocher, Marie, la communication est finie. La vie de Madeleine aussi.

J'étais triste. Triste pour Madeleine, elle semblait tellement gentille. Moi qui voulais la rencontrer…

Triste pour Olivier. Il n'avait qu'elle. Je savais que ça le ravagerait. Il ne s'y attendait pas. Il n'était pas prêt à la perdre. Il était sensible et fragile, sous sa carapace. Et si seul. Si seul.

Un petit renard qui avait poussé de travers, et qui, en plus, venait de se faire écrabouiller par un camion.

Au secours, mémé, les blessures graves comme ça, je ne sais pas faire. Moi, je m'occupais des oiseaux venus se cogner contre la vitre, un peu sonnés. Des chatons tombés du grenier dans la paille. Des hérissons prisonniers du passage canadien à la sortie de la ferme.

Mais là…

32

Il n'y a pas beaucoup de monde dans la petite église du village. Madeleine n'avait plus de famille, à part moi. Des gens du village, quelques voisins dont je ne me souviens pas. Après tout, je n'avais que six ans quand nous sommes partis en ville. Quelques personnes se souviennent de moi. On vient me dire bonjour, rapidement. Je ne dois pas être bien engageant aujourd'hui. Déjà que les autres jours…

Je n'ai rien prévu pour l'après-cérémonie. Je ne suis pas doué pour ça. Nous irons au cimetière et chacun se dispersera. Je n'avais pas le cœur à organiser un café avec quelques gâteaux. Pour dire quoi ? Des banalités.

Madeleine est morte. C'est tout. Un café de plus ou de moins ne changera pas grand-chose pour eux. Chacun va continuer sa vie comme avant. Sauf moi.

L'éloge funèbre est difficile à entendre. Le curé retrace sa vie, parle de ses enfants, de son mari, de moi, de son courage, de sa générosité. Il nous dit qu'elle a retrouvé la paix, maintenant, auprès des siens. C'est vrai que la dernière fois où nous avons pu parler, deux jours avant sa mort, elle était sereine, presque heureuse. Je ne comprenais pas. Je croyais que tout le monde avait peur de la mort, surtout quand elle était imminente.

— Si un jour, tu as des enfants, tu comprendras pourquoi je suis heureuse de les retrouver enfin. Je serai heureuse aussi de te retrouver. Mais prends ton temps. Et fais des enfants. C'est la vie, les enfants, c'est la vie. Fais des enfants et prends soin d'eux. C'est ça, la vie.

Ses dernières paroles. Les toutes dernières.

Nous suivons le petit corbillard qui avance au pas jusqu'au cimetière. J'ouvre la marche. Sans me retourner. Sans savoir si je suis seul, ou s'il y a un petit cortège quand même. Je me dis que s'ils sont venus à l'église, ils feront bien le déplacement jusqu'au cimetière. Le curé fait une dernière prière et les deux hommes des pompes funèbres font descendre le cercueil avec leurs cordes. Elle n'était plus bien lourde, Madeleine. Le curé me tapote dans le dos avant de partir. Tout le monde s'éparpille. Certains en profitent pour aller voir une autre tombe, c'est l'occasion. Si déjà, ils sont au cimetière.

Je m'assois devant le trou béant. Et Madeleine, tout au fond. Il faut se pencher pour apercevoir le cercueil. Ça me file la nausée. Il fait si sombre et si froid, là, au fond. Elle qui aimait tant le soleil et les papillons dans le jardin. Je sors mon petit calepin de ma poche et je commence à dessiner. J'en tremble, mais il faut que je dessine ça. Ce moment-là fait aussi partie de ma vie de pharaon.

J'entends à peine les pas, discrets et légers, dans les petits cailloux de l'allée. Elle s'accroupit à côté de moi.

— Tu es venue ?

— Bien sûr. Madeleine méritait qu'on lui dise au revoir.

Dieu comme c'est bon qu'elle soit là ! Comme c'est bon !

Le rayon de soleil dans la grisaille. Mon papillon dans le jardin. L'arche pendant le Déluge. La branche d'arbre dans les sables mouvants. Le Robinson Crusoé de mon île déserte. La planète Terre de mon big bang. Celle où il fait bon vivre.

Elle me prend la main doucement et entrelace ses doigts dans les miens. Je cherche le stigmate de l'écharde. Ses mains sont abîmées. Des gerçures aux coins des ongles courts et la peau rugueuse. Je ne l'avais pas remarqué avec mon aiguille en main, l'autre jour.

Peu importe ses mains, c'est sa présence qui m'est douce.

Nous restons un long moment ainsi. J'ai moins mal au ventre.

— Et Suzie ?

— Chez Antoine.

— Et tes vaches ?

— Antoine s'en occupe.

— Tu es venue comment ?

— En train. Antoine m'a emmenée jusqu'à la gare.

— Que ferais-tu sans Antoine ?

— Autrement… Il faut que je reparte bientôt, j'ai un train à…

— Non, reste, s'il te plaît. Je te ramène en voiture. Ce soir, si tu veux. Mais j'aimerais que tu restes.

Elle me sourit. Elle va rester. J'ai envie de lui montrer la maison de Madeleine.

Nous y allons à pied. Elle est d'une élégance rare. Des petites ballerines noires, une jupe droite, grise, qui arrive sous les genoux, surmontée d'un grand gilet noir. Et un petit chapeau avec de la dentelle devant les yeux.

— Il est joli, ton chapeau.

— C'était celui de mémé. Elle l'avait mis pour l'enterrement de pépé, et après, elle me l'a donné, en me disant qu'elle serait la suivante. Qu'elle n'en aurait plus besoin. Elle avait raison.

— Il est joli.

Ce n'était pas le chapeau qui était joli.

Nous sommes entrés dans la petite maison de Madeleine. Je la voyais encore sur son lit, comme quand elle est partie.

— Elle savait qu'elle était malade ?

— Non. Depuis six mois, elle se sentait un peu plus fatiguée, mais à quatre-vingt-deux ans, ça semble normal. Et puis, elle était devenue pâle. Le médecin a voulu vérifier son sang. C'est là qu'il a vu que tous ses marqueurs avaient énormément chuté. À son âge, il n'y avait plus rien à faire. Il lui a parlé, lui a dit que c'était bientôt fini. Elle m'a fait prévenir par la voisine. Elle ne voulait pas me le dire. Pas comme ça. C'était samedi dernier.

— Elle n'a pas souffert ?

— Non. Elle avait un peu mal partout, mais le médecin lui a donné de la morphine. C'est là qu'elle m'a dit qu'elle était contente de partir, pour retrouver ses petits. Elle avait fait venir le notaire, tout était signé. La maison est à moi. Je ne sais pas quoi en faire. Mais je ne peux pas vendre.

— C'est trop tôt pour réfléchir.

— Sûrement. Mais comment je vais faire sans elle ?

— Autrement…

33

La maison de Madeleine était toute petite, mais elle avait une âme. J'ai senti toute la nostalgie dans les yeux d'Olivier, quand il regardait la pièce et tous ses recoins. Cela faisait presque vingt ans qu'elle était revenue vivre là, pour sa retraite, et qu'il venait la voir régulièrement. Rapidement, mais régulièrement. Les petits bibelots posés sur la cheminée, à côté de trois photos. Son mari et deux de ses fils. Pour le troisième, ils n'avaient probablement pas eu le temps d'en prendre. Il est mort avant. C'était rare, les photos, à cette époque.

Olivier n'avait pas pleuré. Ni à la messe ni au cimetière. Il avait un sourire triste sur les lèvres, le même que j'avais remarqué à la ferme, quand il était passé en vélo. Mais en dix fois pire. Il ne savait pas trop ce qu'il allait faire de toutes ses affaires, de la maison. Je lui ai suggéré de laisser passer un peu de temps. Le temps de faire le deuil. De pleurer sa Madeleine. Il m'a alors regardée, et j'ai vu son visage se transformer, ses lèvres s'incliner vers le bas, le menton se mettre à trembler. Je l'ai pris dans les bras, et il s'est mis à pleurer. À pleurer comme un gamin. Je me suis assise sur le bord du lit, et il s'est agenouillé devant moi, en serrant ses bras autour de ma taille. Il pleurait fort. Comme une pluie d'orage qui vous mouille jusqu'aux os en moins de trente secondes. C'était cette violence-là. Il avait ouvert les vannes, et c'était toute sa tristesse qui se déversait sur mon ventre. Pas seulement celle d'avoir perdu Madeleine. J'avais le sentiment qu'il pleurait toute sa vie. Ses parents violents, son abandon, les moqueries de l'école, sa solitude. Il s'accrochait à moi comme pour me crier : Je n'ai plus que toi.

J'ai pleuré avec lui, en lui caressant les cheveux.

Nous sommes restés ainsi plus d'une heure. Ça me rappelait ma nuit de larmes chez Antoine. Mais lui, c'était tellement plus grave.

Quand il s'est un peu apaisé, je lui ai proposé de rentrer. Il était très fatigué et n'avait pas dû dormir beaucoup cette semaine. Il reviendrait quand il le voudrait, mais il fallait quitter cet endroit, pour reprendre un peu d'air. Laisser à son corps un peu de répit.

Il s'est assis côté passager en regardant par la fenêtre, comme s'il avait honte de me montrer ses yeux. J'ai pris le volant. Il s'est endormi rapidement. Je l'entendais sangloter parfois, et puis il s'endormait à nouveau.

J'ai vraiment eu de la peine. Ce n'était pas le lieutenant de trente-huit ans que j'avais à côté de moi, c'était le petit garçon abandonné qui venait de perdre sa bonne étoile et qui ne savait pas s'il trouverait encore le chemin.

Nous sommes arrivés à la ferme vers minuit. Nous avons bu une tisane. Je lui ai cherché un gant de toilette avec de l'eau froide. Il avait mal aux yeux, à la tête.

— Tu vas dormir ici. Je préfère.

Je l'ai installé dans mon lit. Je suis allée me changer et je me suis allongée à ses côtés. Il pleurait encore, en silence. Il m'a prise dans ses bras, et je me suis calée contre lui pour dormir. Je le sentais respirer contre mon dos. Il hoquetait encore par moment. Mais la pluie semblait se calmer. Quand le réveil a sonné, nous n'avions pas bougé. Il dormait comme un bébé. Les yeux gonflés de fatigue et de chagrin.

Je me suis levée pour la traite. J'ai appelé Antoine pour lui dire que j'étais rentrée, et qu'il dise à Suzie de prendre le bus après l'école.

— Comment ça va ?

— C'est dur. Il a dormi ici. Il ne va pas fort. Et Suzie ?

— Elle demande comment il va. Elle lui a fait un dessin. Pourquoi elle s'est si vite attachée à lui ?

— Parce qu'il a peur des araignées…

Antoine n'a pas compris. Je lui expliquerai un jour.

34

Je me suis réveillé à dix heures. Mal au crâne, aux yeux, au cœur. Surtout au cœur. Je n'arrive pas encore à croire que Madeleine soit morte. Hier soir, j'ai dû vider toutes les larmes que j'avais dans le ventre. Je crois que je m'étais arrêté de pleurer le jour de la torgnole de mon père à cause de l'araignée, pour qu'on ne me refasse plus jamais le coup du « comme ça, tu sais pourquoi tu pleures ». Trente-deux ans sans larmes. Forcément, il y avait du stock. Hier soir, je savais pourquoi je pleurais. Le destin m'a foutu la torgnole de ma vie.

Seuls deux rayons lumineux passent au travers des ouvertures en forme de cœur, au milieu de chaque volet. Je me sens bien dans ce petit nid, avec des meubles en bois cirés et des petits rideaux en dentelle. Elle a des petits cœurs en tissu accrochés un peu partout. Madeleine en a fait des centaines avec la machine à coudre de Madame Richard. Elle les vendait aux kermesses de quartier, pour boucler nos fins de mois et m'acheter mes fournitures scolaires.

Cette nuit, Marie n'était pas une femme, mais le doudou qu'un enfant serre contre lui quand il a un gros chagrin. La peluche des pompiers pour consoler les enfants solitaires. J'en suis encore un. Je n'ai jamais vraiment grandi. Toujours peur des araignées, peur de m'engager, peur qu'on me fasse du mal, peur des autres, de leur bêtise et de leur méchanceté. Je me réfugie dans mes dessins comme les gamins dans leur monde imaginaire. Je suis grand et costaud, mais à l'intérieur, c'est un grand placard noir dans un coin duquel un petit garçon se cache pelotonné sur lui-même, les mains sur la tête et le regard triste. Madeleine me l'avait fait oublier, mais sa mort aidant, les détritus de mon enfance, enfouis vaguement, refont surface. J'ai un rêve immense et insensé. Vivre à trente-huit ans ce qui m'a toujours terriblement manqué, ce par quoi chaque enfant devrait passer pour se construire : l'insouciance.

En passant devant le miroir, au-dessus de la commode, je ne me reconnais pas. Je n'ai jamais autant pleuré auparavant et mes paupières ont doublé de volume. Comme si j'avais fait une allergie. Allergique à la mort. Ça existe, ça ?

De l'eau fraîche sur le visage n'y change rien. Les stigmates de mon chagrin s'accrochent. J'essaie de sourire. Le résultat est pathétique.

Je suis ensuite descendu comme j'ai pu, pour m'asseoir sur le canapé. Un mal de tête me faisait terriblement souffrir au moindre mouvement.

Marie est entrée, précédée d'Albert qui s'est approché de moi la tête basse et la queue entre les jambes. Je fais tellement peur ?

— Comment ça va ?

— J'ai mal partout. Surtout à la tête et aux yeux.

Elle a enlevé ses bottes à l'entrée et est venue m'embrasser sur le front, avec ses grosses chaussettes rafistolées.

— Tu as chaud. Je vais te préparer un cachet.

Madeleine aussi le faisait quand j'avais de la fièvre.

Toutes les mamans ont un thermomètre au bout des lèvres ?

Le comprimé pétillait dans l'eau du verre qu'elle m'a tendu en même temps qu'un gant de toilette imbibé de lait un peu jaunâtre.

— C'est quoi ?

— Du colostrum. Tu as de la chance, il y a eu un vêlage hier, il est tout frais. Poses-le sur tes yeux, tu verras, ça fait des miracles. Tu as besoin d'autre chose ?

— Non, ai-je menti.

Il m'a fallu attendre qu'elle soit repartie à son travail pour être capable d'articuler mon besoin profond, dans un discret murmure.

— D'insouciance, j'ai besoin d'insouciance.

Je suis resté assis une bonne heure, avec mon colostrum de vache sur les yeux. J'entendais le tracteur, des bruits de ferraille, Albert, de temps en temps. Marie aussi aboyait parfois, pour se faire entendre du troupeau.

Le résultat colostral était spectaculaire. Moins rouges, désenflés, mes yeux ne me faisaient plus mal. Je ne ressemblais toujours à rien, mais c'était moins désagréable. Ma tête allait mieux aussi, sous l'effet du cachet.

Je songeais à rentrer. Le travail à reprendre le lendemain. Marie m'a proposé de rester jusqu'à seize heures, pour voir Suzie. Pourquoi pas. Dans mon petit studio, je tournerais en rond. J'ai pris quelques feuilles et des crayons sur le bureau et je suis parti en amont de la ferme, pour dessiner un peu.

J'ai observé les vaches un bon moment. Elles paissaient paisiblement dans le champ juste derrière la ferme. C'était drôle. On sentait une vie dans le troupeau, une dynamique, une société. Une ou deux vaches meneuses, qui tyrannisaient un peu les autres, certaines craintives, d'autres, flegmatiques, qui s'en foutaient complètement et qui partaient un peu plus loin pour être au calme. Comme l'espèce humaine en fait. Je me suis demandé laquelle j'aurais pu être si j'avais été une vache. Et je crois que ce jour-là, j'avais envie d'en être une. Outre le fait de me laisser caresser par les mains, même rugueuses, de Marie deux fois par jour, c'était plus à l'idée d'être tranquille, sans soucis, sans préoccupation, sans état d'âme, sans tristesse. Cela dit, qui sait si les vaches n'ont pas d'état d'âme ? Celle qui avait vêlé sous mes yeux semblait souffrir terriblement. J'en avais entendu beugler une autre, parce qu'on l'avait séparée de son veau le lendemain du vêlage. Marie m'avait expliqué qu'elle n'avait pas le choix, sinon, elle ne pouvait pas la traire et faire son fromage. Et que dire quand elles se font trifouiller le derrière par le bras de l'inséminateur ? Elles y prennent plaisir ?

Voilà, c'était ma question philosophique de l'après-midi : est-ce qu'une vache est heureuse ? En y réfléchissant, au moins, je ne pensais pas à Madeleine.

Au bout d'un moment, j'ai quand même saisi mon crayon pour dessiner. Elles s'étaient toutes regroupées au milieu du champ, couchées ensemble. Une jolie scène.

C'est alors que j'ai aperçu le bus scolaire s'arrêter dans le dernier virage en contrebas. Suzie est la dernière de la tournée. Je l'ai vue entamer la montée avec son petit sac d'école sur le dos. Je ne regrettais pas d'être resté. Les enfants, c'est la vie. Elle marchait d'un bon pas, s'arrêtant de temps en temps, pour regarder des choses au bord du chemin. Sûrement une fleur ou des petites bêtes. Celles qui ne mangent pas les grosses. C'était vraiment agréable de l'observer dans son petit monde, dans sa petite vie. Ce moment lui appartenait.

Pas de consignes de la maîtresse, ou de sa maman, pas de contrainte, juste de remonter le chemin, en prenant le temps de vivre. Avec insouciance. Peut-être pouvait-elle m'apprendre ?

J'ai fini par siffler en lui faisant de grands signes. Elle m'a répondu, puis a bifurqué vers le petit rocher sur lequel je m'étais installé.

— Ça va ? m'a-t-elle demandé en arrivant à ma hauteur, essoufflée.

— Ça va !

— Tu dessines les vaches ?

— Oui. Ça me change les idées.

Elle a alors jeté un œil sur mon dessin.

— Elles préparent un complot.

— Tu crois ?

— Oui, quand elles se regroupent comme ça, c'est qu'elles préparent un complot contre maman.

— Et après, elles font quoi ? Elles manifestent ? Elles font grève ?

— Non, parce que maman, elle ne se laisse pas faire. Comme la maîtresse. Nous aussi, des fois, dans la cour, on discute de ce qu'on n'aime pas faire en classe, ou de ce qu'on voudrait, plus de récré ou des choses dans le genre. Mais après, personne ne dit jamais rien, parce qu'on n'ose pas, sinon, elle nous gronde. Les vaches, c'est pareil.

J'ai souri. C'est la vie, les enfants.

— C'était qui, Madeleine ?

— C'était un peu ma maman et un peu ma grand-mère aussi, parce qu'elle était âgée.

— Alors c'est comme si maman et mémé étaient mortes le même jour ?

— Ben, oui.

— Je comprends que tu sois triste, alors. Moi, mémé était déjà morte quand je suis née, alors je ne pouvais pas être triste, mais si maman mortait aujourd'hui, oh, là, là !

Et la façon dont Suzie me parlait de la mort, si simplement, m'a redonné envie de pleurer. Elle m'a observé quelques instants, avant de chercher un mouchoir dans son sac pour m'essuyer les joues. Et puis, elle m'a chuchoté dans l'oreille :

— Madeleine, c'est comme Jésus sur la croix, elle va revenir, mais on la verra pas.

Les enfants, c'est la vie.

35

Cette façon dont les choses se passent entre lui et moi depuis que Jean-Raphaël est venu se planquer dans ma paille relève de la bizarrerie. Quand ma copine me raconte ses histoires de cœur, ça commence généralement dans un bar, autour d'un verre, à se dire des mots doux et se faire des papouilles, pour se poursuivre sous la couette, le soir même. Pour Olivier et moi, la vie semble hésiter, réfléchir, mettre des obstacles, des souvenirs, des circonstances particulières qui rapprochent ou éloignent successivement. Bientôt deux mois à tourner autour du pot sans oser y plonger la main. Ceci dit, ma copine voit souvent la fin de l'histoire dans ce même laps de temps. Alors, peut-être est-ce plutôt bon signe de prendre le temps. Question de saveur. Une sorte de différence entre un poulet fermier et un poulet aux hormones.

Il est reparti. Le boulot, demain matin. Nous nous sommes serrés dans les bras longuement. Je lui ai dit de m'appeler quand il le voulait. Comme à l'accoutumée, nous n'avons pas parlé de date. Il avait en sa possession un petit récipient de colostrum, s'il éprouvait encore le besoin de faire un trempage le soir même. Cette substance fait des miracles. Je l'utilise tout le temps pour soigner mes vaches. Les écrasements de trayon, les abcès, les petites blessures.

J'utilise des remèdes que mes grands-parents m'ont transmis, je fais mon pain, mon jardin, ma cuisine, j'ai une garde-robe réduite, qui le serait plus encore si Marjorie, ma copine blonde, ne me traînait pas faire les soldes deux fois par an. Et encore, je reviens souvent avec un livre plutôt qu'un pantalon.

J'aime bien l'appeler ma copine blonde. Elle est rousse, alors ça la fait rire. Elle sait ce que je mets derrière ces mots : victime de la mode. Elle le reconnaît et l'assume pleinement. Elle essaie même de me convertir, à corps perdu, parce que le mien défendant. J'aime la simplicité. Ça la fait hurler, elle qui a élevé mon allure au rang de grande cause nationale. Elle parle de *coaching*, de *relooking* et autres trucs en « -ing » qui font moderne. Je la laisse dire. Ça lui fait plaisir. Moi, j'en suis encore au stade de la bougie. Et puis, je l'aime bien. Elle est attachante. Elle me demande de quelle marque sont mes vaches, je la questionne sur la race de ses chaussures. Son kiné se tue à lui dire que ses problèmes de dos viennent de la hauteur vertigineuse de ses talons. « Mais je tombe en arrière si je porte des chaussures plates. » Elle ne verrait surtout plus son kiné. Au moins, un homme qui pose un regard bienveillant et attentif sur son corps dénudé. Elle a des cystites à répétition parce qu'elle porte des culottes en synthétique et des pantalons trop serrés, a des boutons sur la peau du visage qui respire difficilement sous l'épaisseur de fond de teint, et est aussi dépitée quand un de ses faux ongles casse que moi quand le tracteur ne démarre plus. Je la console quand elle me parle du fameux type mots-doux-papouilles, qu'elle a rencontré dans un bar, autour d'un verre, avec qui elle s'est envoyée en l'air deux petites semaines et qui l'a jetée comme une épluchure la troisième. Elle s'épanche en arguant qu'elle ne doit pas être assez belle pour lui, qu'elle va se faire refaire les seins, regonfler les lèvres et relever le derrière qui tombe. Mais tout tombe. Un jour, je lui ai parlé d'Isaac. Isaac Newton. « Tous les corps s'attirent avec une force centripète inversement proportionnelle au carré de la distance qui les sépare, cette force s'appelle la gravitation universelle. » Elle m'a regardée un instant avant de répondre : « Ben oui, c'est grave, c'est bien ce que je dis. » C'est peut-être pour ça, ses talons hauts. Plus elle éloigne ses fesses de la terre, moins intense sera la force qui les attirera vers le bas.

Pour la consoler, je lui dis que c'était rien qu'un pauvre type et qu'elle vaut mieux que ça. Elle m'écoute, dit qu'elle fera attention, et le mois d'après, c'est la même histoire.

Elle se sent libre, parce qu'elle ne veut pas d'enfants. L'idée même la révulse. Pas à cause des enfants, mais de la grossesse. Se balader neuf mois avec un alien dans le ventre, qui bouge, grandit et s'agite sous la peau lui fait horreur. Alors, s'il fallait en plus qu'il lui déchire le périnée et qu'il lui arrache les bouts de seins. « Ah non ! Ça, il ne faut pas compter sur moi pour assurer la survie de l'espèce, elle s'en sortira sans mes ovules, l'espèce. »

C'est drôle, moi, j'ai adoré être enceinte.

Finalement, Marjorie m'aide à me sentir bien chez moi. Je ne l'envie pas, parce qu'elle souffre. Des diktats de la mode, des mecs indignes, de sa solitude. Je me sens à l'abri dans ma montagne, loin du monde grouillant d'inutilité et d'indignité.

Même si Justin en faisait partie. Et j'ai bêtement pensé la même chose qu'elle. Est-ce que je suis trop moche ? Qu'est-ce que j'ai fait de mal ? Pourquoi il ne m'aime plus ? M'a-t-il jamais aimée ? Peut-être même pas. Ce serait encore pire.

Parfois, je me dis que je suis en train de devenir sauvage. Les palpitations me guettent quand je vais en ville, et je sens l'apaisement au fur et à mesure que je remonte dans ma montagne. Anxiolytique altitude. Il n'y a qu'en informatique où je me suis modernisée. C'est devenu incontournable pour un chef d'entreprise. Et puis, dans l'équipement de la fromagerie, parce que c'est devenu obligatoire avec leurs foutues normes européennes. Inox, mon amour ! Le fromage n'a plus le même goût.

Ah, si je n'étais nostalgique que du goût des fromages de mon grand-père ! Les anciens vivaient simplement. Ils ne mangeaient pas des fraises à Noël, ni du concombre en février. Ils ne couraient pas chez le médecin au moindre éternuement et ne perdaient pas leur temps à flâner en ville. Et surtout, ils reprisaient leurs chaussettes.

J'ai gardé ce que j'aimais de leur époque, en y ajoutant le progrès qui leur faisait défaut. C'est un bon compromis.

Suzie a affiché le dessin des vaches sur le frigo. Il porte un titre : *Le Complot*. C'est drôle, je n'y avais jamais pensé. C'est peut-être vrai. Qui dit qu'elles ne sont pas en train d'organiser une mutinerie ? Il faut que je briefe Albert.

36

J'ai travaillé jusqu'au vendredi soir, machinalement, aucun entrain, mais de l'efficacité. Fanny, à l'accueil, a au moins eu le mérite, certes sans grande conviction, de me demander si ça allait. Je lui ai balancé que ma mère était morte, en tournant les talons, pour lui soustraire toute idée de me répondre quelque chose. Je déteste les sincères condoléances. Elles ne sont pas toujours sincères. Fanny est au commissariat ce que l'AFP est aux journalistes, et le soir même, tout le monde serait au courant. Ça m'évitait la corvée. Les affaires en cours et les dépôts de plainte m'ont permis de ne pas trop penser à Madeleine. Et quand, malgré tout, je ne pouvais m'en empêcher, je mettais le visage de Marie à la place. Infaillible antidote au chagrin. Et plus je pensais à Marie, plus j'avais envie d'elle. Je ne voulais plus attendre.

La mort de Madeleine était un nouveau big bang. Dans l'autre sens. Je ne voulais pas que les étoiles s'éloignent. Au contraire. Je rêvais d'entrer dans son système solaire, croiser sa trajectoire, je rêvais d'une collision. Je ne me contentais plus d'être la Lune qui tourne autour de la Terre. Je voulais entrer dans son atmosphère. Quitter mon statut de satellite relégué à des années-lumière. Garder la lumière et en prendre pour des années. J'ai senti une sorte de frénésie, un appétit d'ogre, pour croquer la vie, rapidement, et ne pas en perdre une miette. C'est vrai, après tout, je pouvais mourir demain, sur la route, ou elle, écrasée par son tracteur, ou dans une révolte animale qui aurait mis la ferme à feu et à sang. Le fameux complot de ce groupuscule anarcho-autonome bovin. Alors, pourquoi attendre ? Elle savait se défendre. Je pouvais bien tenter !

En sortant du commissariat, je suis passé chez le photographe pour acheter un cadre en bois ciré, comme les meubles de sa chambre. J'y ai inséré le portrait de Suzie, celui qu'elle a tant aimé. J'ai avalé une demi-baguette, pour calmer l'ogre qui était en moi. L'idée de la revoir me donnait faim. En attendant de prendre la route, afin d'arriver à une heure suffisamment tardive pour que Suzie soit couchée, j'ai dessiné des planètes, des systèmes solaires, des étoiles et des Marie au milieu. J'ai roulé prudemment, ce n'était pas le moment de me planter en voiture, et j'ai prié pour que son tracteur ne l'ait pas écrasée. Les vaches devaient déjà ronfler, je ne m'inquiétais pas pour la mutinerie.

J'ai garé ma voiture en contrebas, pour créer la surprise. Il y avait de la lumière dans la cuisine. En marchant pourtant à pas de loup dans la cour, j'ai vu apparaître la tête d'Albert sur le bord de la fenêtre. Ce chien est incroyable. Il entendrait une araignée sur le plancher du grenier. Et dire qu'en plus, il fait aspirateur ! Il m'en faudrait un comme lui.

Voyant le chien, elle devait se douter que quelqu'un arrivait, car elle a ouvert avant que je n'aie le temps de frapper.

Je ne l'ai pas laissée parler. J'ai posé le paquet sur le meuble de l'entrée, je lui ai pris le visage entre les mains et je l'ai embrassée.

Elle s'est dégagée, a saisi ma main. Instant de vérité. Quitte ou double. Qu'elle fasse ce qu'elle veut de moi. Me ligoter comme un veau sur les tommettes de sa cuisine ou m'emmener au paradis. Sous les yeux d'Albert, avocat de la défense, j'ai fermé les miens, dans l'attente du verdict. Quand j'ai senti ses lèvres sur les miennes, bien loin des joues, j'ai su que mes neurones allaient danser la samba jusqu'au bout de la nuit.

Bon Dieu, ce que j'avais envie d'elle ! J'étais le chevalier qui revenait de vingt années de croisades, à manger de la tambouille sans saveur, et qui avait devant lui la plus belle table de victuailles jamais imaginée. Je ne savais pas par où commencer. J'avais envie de la dévorer et je savais qu'elle avait besoin qu'on la déguste, avec finesse et douceur. Trois étoiles au *Michelin*, ça se savoure ! Le miracle pour lequel je m'étais préparé à la bibliothèque de quartier pouvait bien durer des heures, je savais que je ne serais pas rassasié de sitôt.

Je ne me souvenais plus de ce qu'ils préconisaient dans les bouquins pour ce genre de situation. Respirer, je crois. Mais ce que je vivais n'était écrit dans aucun bouquin.

Elle a ôté ma veste et l'a jetée sur le canapé. Je l'ai assise sur la table de la cuisine, au milieu de la farine qui avait servi à pétrir la brioche. Il m'en restait pour pétrir son petit derrière bien ferme qu'elle m'avait montré trente secondes après notre premier face à face, et qui se dandinait dans mes circonvolutions cérébrales depuis. Je me suis fait une petite place entre ses jambes pour sentir son ventre contre le mien. Elle a ensuite préféré m'entraîner dans l'intimité de sa chambre.

Moi aussi, je préférais monter. Je n'avais pas envie qu'Albert participe, en spectateur attentif, et qu'il remue sa queue en regardant la mienne. Et puis, j'aimais bien cette petite pièce, avec ses cœurs partout. Le mien était sur le point d'exploser. S'il lâchait, j'en mettrais un en tissu à la place.

Elle a enlevé mon tee-shirt, celui de la vache à bananes, et m'a tâté les pectoraux comme la mamelle de ses vaches. Ses mains rugueuses gratouillaient ma peau. J'ai mis mes muscles en tension, successivement. Des années que je m'amusais à le faire en sortant de la douche, devant le miroir de la salle de bains. On s'occupe comme on peut. Ça l'a fait rire.

À mon tour, j'ai enlevé son tee-shirt. Elle n'avait pas de soutien-gorge, et je voyais enfin ces fameux tétons qui m'avaient tant nargué. Je les ai sucés l'un après l'autre. Ils étaient durs et saillants. Elle a essayé de faire bouger ses seins comme moi. Sans succès. Je l'ai un peu aidée. Ils étaient petits et fermes. Ça l'a fait rire aussi. J'ai descendu son pantalon léger. Elle n'avait pas de sous-vêtements. Ma main a frôlé son entre-jambe, avant de la soulever et de l'allonger sur son lit.

Les volets n'étaient pas encore fermés, et le clair de lune distribuait une lumière douce dans la chambre. Je collectionnais les clichés romantiques ! Un jeu d'ombre et de lumière sur ses courbes, que je ne me lassais pas d'observer. En dessinateur averti, je ne pouvais qu'y trouver satisfaction. J'aurais de quoi dessiner des semaines entières. Que dis-je, des années.

Ses deux clavicules descendaient des épaules vers la base du cou, dans une symétrie presque parfaite. L'une d'elles était légèrement boursouflée. Une clavicule cassée à la naissance, qui s'était ressoudée de travers. Un creux d'aisselle à peine fourni. Elle ne s'épilait pas. Ça m'était égal. C'était tellement discret. J'ai tiré dessus avec mes dents, je voulais tout goûter. Tout renifler.

Amies phéromones, sortez de votre cachette.

Vos homologues masculins sont à la fête.

Je me suis à nouveau attardé sur ses bouts de seins, qui pointaient désormais vers le ciel, tels deux cairns au sommet de leur colline, repères des voyageurs, pour ne pas s'égarer. Et moi, j'avais justement envie de me perdre. Son corps en immense île aux trésors dont je voulais faire le tour plusieurs fois avant d'en visiter les profondeurs.

Au milieu du ventre, son nombril était minuscule. Probablement le vestige d'un cordon ombilical insignifiant. Troublant, en regard de son histoire. Comme s'il était déjà écrit dans la faiblesse du cordon l'absence de lien maternel et la fuite définitive de sa génitrice.

J'ai longuement embrassé ce tout petit nombril, comme pour y insuffler mon amour, celui qu'elle n'avait pas reçu de sa mère.

Tout autour, une immense tablette de chocolat à grands carreaux, qui se dissimulait sous une peau laiteuse et se dessinait au moindre mouvement. Le travail de la ferme devait y être pour beaucoup, et ma gourmandise n'en fut que plus aiguisée. J'avais envie de la croquer.

Un peu plus bas, son petit jardin dessinait un triangle parfait, qui semblait indiquer, telle une flèche de direction, l'entrée de la grotte, dont j'avais envie d'être le visiteur. C'est ici que j'irai me perdre tout à l'heure. Mais je n'avais pas fini, je me devais de la connaître jusqu'au bout. Ma bouche a longé sa cuisse droite pendant que ma main descendait le long de la gauche. Leur fermeté ne laissait place à aucun capiton. Un peu plus bas, ses mollets, puis ses chevilles, toutes fines. Un fin duvet. Je me suis attardé sur ses orteils, les prenant en bouche les uns après les autres. Elle se tortillait comme un ver de terre en plein soleil, en me disant qu'elle était chatouilleuse. Elle se redressa, pour s'asseoir sur le lit et vint me prendre le visage à deux mains pour me faire remonter, et arrêter ce supplice des pieds.

Volontiers.

J'ai quitté mon pantalon. J'avais chaud, j'étais à l'étroit.

Elle s'était allongée à nouveau et m'attendait. Mes deux mains sous ses genoux, j'ai ouvert ses cuisses et me suis attardé, mes lèvres sur ses lèvres, les grandes, puis les petites, que j'écartais du bout de ma langue. L'entrée de la grotte était là, chaude et humide, sucrée et laiteuse. Son souffle faisait le guide.

Je suis remonté, de retour sur ses petites collines et leur sommet saillant. Je l'ai embrassée longuement, en la pénétrant délicatement.

Nous avons fait l'amour plus d'une demi-heure, ponctuée de soupirs, de sourires, de regards complices. Ça avait du bon, toutes mes lectures, et j'ai pu me contrôler. J'avais envie de l'attendre. J'aurais eu l'impression de lui voler ce moment si j'étais parti avant elle. J'ai retrouvé la moiteur sur sa peau, comme ma première visite à la fromagerie.

Après quelques instants enlacés, nous nous sommes blottis sous les couvertures et avons parlé longuement, son corps brûlant contre le mien. Ce moment était presque aussi bon que le précédent. Le calme après la tempête.

J'ai cru entendre Suzie appeler. Marie m'a rassuré, en me disant que cela lui arrivait souvent dans son sommeil. Elle parlait en dormant. Je lui caressais le ventre à ce moment-là et n'ai pas résisté :

— Comment était le cordon ombilical de Suzie à sa naissance ?

— Énorme. Antoine a eu du mal à le couper tellement il était épais.

Hé ! Hé !

— Pourquoi cette question ? s'est-elle interrogée.

— Comme ça. Je m'intéresse à l'histoire des cordons ombilicaux.

— Pourquoi, ça a une histoire un cordon ombilical ?

— Je ne sais pas. J'y réfléchis…

Je lui ai ensuite effleuré les seins, en lui dévoilant les situations où ils avaient titillé mon entrejambe. Elle était surprise, ne s'en était pas rendu compte. Elle m'a alors avoué leurs commentaires, avec Antoine, sur mes fesses, sur mes muscles découverts sous le tee-shirt de vélo. Ça m'a fait bizarre d'imaginer qu'un homme avait ce type de regard sur moi. Mais je n'étais pas le genre d'Antoine.

Heureusement.

La situation était déjà assez particulière comme ça, pour ne pas en faire une triangulaire.

Nous avons comme cela évoqué nos rares souvenirs communs, pendant près d'une heure, en riant de bon cœur. Je la regardais encore et encore. C'était étonnant, son corps était recouvert d'un fin duvet, même sur les zones habituellement plus drues. Je me suis demandé si elle s'était rasée une fois dans sa vie. Elle n'en avait même pas besoin. C'était charmant. Les femmes devaient être bien inégales de ce point de vue.

À philosopher sur la pilosité de Marie, j'en suis arrivé à me demander si j'étais bien le fils de mon père, poilu comme un sanglier. Et moi, pas un poil sur le torse, pour avoir une barbe de trois jours, il m'en fallait six. Ça ne collait pas et ça m'arrangeait plutôt. Je préférais être le fils d'un inconnu, que je pouvais imaginer à ma manière, peut-être celui avec qui ma mère s'était tirée pendant que je me faisais recoudre, que celui d'un gros porc alcoolisé qui m'avait tailladé le menton. J'ai décidé ce jour-là que ma mère avait découché neuf mois avant ma naissance. Ça m'a fait du bien. Un bien fou. Marie était en train de repeindre *Guernica*, de son fin duvet.

Et puis, je l'ai prise dans mes bras, comme à notre retour du Pays basque. Mais ce soir, ce n'était pas mon doudou que je serrais ainsi, c'était la femme que je désirais, et j'étais l'homme le plus heureux de la galaxie. La collision s'était bien déroulée, le vaisseau spatial était arrimé à l'étoile et comptait bien le rester. Non, je ne reviendrai pas sur Terre. N'insistez pas, Cap Canaveral, je… crrruuttsschhh… vous… Sscrriiitch… entends… Ssshhhicni… mal… crrriittsch.

37

Le réveil a sonné à cinq heures comme chaque jour depuis que j'ai repris la ferme. C'était le premier matin où je regrettais d'avoir des vaches. Je n'avais qu'une envie, c'était de rester blottie contre lui. Lui et son menton fendu. Lui et ses pectoraux luisants qui bougent tout seul.

C'est grave si je ne vais pas les traire ? Un matin ! Juste un matin ! Oui, c'est grave, Marie ! Tu sais bien qu'elles auront mal toute la journée et que demain matin, ton tank à lait sera à moitié vide. Sans compter les risques de mammites. Quand Antoine peine à se lever, il compte jusqu'à trois et se lève d'un bond. J'ai posé mes lèvres sur sa joue, j'ai compté jusqu'à trois et je me suis levée. Ça marche bien, en effet. Il a essayé de poser sa main sur moi, mais j'étais déjà debout. Elle est retombée sur le lit, et lui dans son sommeil. Veinard !

J'étais un peu dans les nuages et j'ai failli oublier de fermer les vannes du tank à lait. Toute ma traite aurait été perdue dans la gouttière de la cour. Les chats auraient été contents. J'ai bien mis vingt minutes de plus pour finir. Les vaches tapaient du pied. Forcément, j'oubliais de les détacher et la trayeuse tirait dans le vide. Si la théorie du complot se vérifiait, ce serait aujourd'hui, elles avaient des raisons de m'en vouloir. Je n'y pouvais rien, je me passais la nuit en boucle. Ravie d'avoir attendu jusque-là, d'avoir pu parler avec lui de mon passé, mais soulagée qu'il soit venu prendre les choses en main. Mes seins et mes fesses entre autres. Je me sentais plus légère sans couvercle. Il était ce que je cherchais, le remède à Justin. Délicat et tendre. Un peu comme Antoine, mais avec Antoine, je ne pouvais pas faire de plans sur la comète, imaginer l'avenir à deux et la fin de ma solitude nocturne. Avec Olivier, j'étais dans une autre galaxie. Et mes vaches de me rappeler qu'elles étaient dans la voie lactée, elles ! Et qu'il fallait peut-être que je pense à me concentrer un peu !

Quand je suis rentrée à la maison, Suzie était déjà debout.

— Regarde, maman, le paquet que j'ai trouvé sur le meuble de l'entrée.

Zut, je ne l'avais même pas vu, à moitié endormie ce matin.

— C'est un portrait de moi. C'est Olivier qui l'a dessiné ? Il est venu le déposer hier soir ?

— Il est encore là, ce matin. Il dort dans ma chambre.

Suzie m'a fait un grand sourire complice, et là, je me suis dit qu'elle était vraiment en avance sur son âge.

— Je retourne aux vaches, tu ne le réveilles pas, hein ?

— Non, non, t'inquiète, maman.

Justement.

38

J'ai entendu gratter à la porte.

Albert était à la traite.

Pas de chat dans la maison, ils attendaient le lait tiède en direct du producteur.

Une araignée géante ?

Et puis, la clenche s'est délicatement baissée. J'ai fait semblant de dormir, en entrouvrant un œil. Suzie portait un plateau plus grand qu'elle. Un grand verre de jus d'orange et trois morceaux de brioche. J'ai repensé à la farine. Ce matin, je n'en mangerai qu'une part. Mon ventre a une bonne mémoire.

— Tu dors ? a-t-elle murmuré d'un souffle à peine audible.

Je n'ai pas répondu.

— Tu dors ?

Elle avait tourné le potentiomètre en position un.

Puis deux.

— Tu dors encore ?

— Moui…

Elle m'a cru. Ah, là, là ! Profiter ainsi de la naïveté d'une petite fille ! C'était tellement tentant…

Elle s'est alors assise sur le bord du lit, le plateau sur les genoux, a hésité quelques secondes, m'a regardé, a regardé le plateau, puis elle a bu une gorgée de jus d'orange et détaché un petit coin de brioche. C'était adorable.

Et maintenant ? Soit je me redressais dans le lit au risque de la faire sursauter et de tout renverser, soit je continuais à faire le mort et elle me mangeait tout mon petit déjeuner. J'ai donc commencé doucement à m'étirer, en grognant comme un ours qui sort d'hibernation. Elle m'a fait un sourire d'enfant de chœur qui vient de piquer dans le panier de quête. Je lui ai répondu par un sourire de curé qui fait semblant de n'avoir rien vu.

— Merci, ma grande !… Mais, mais, il y a des souris ! ai-je constaté, en lui montrant le bout de brioche entamé.

— Ça, c'est la faute des chats. Des gros paresseux qui passent leur temps à tourner autour des vaches. Alors, tu parles si les souris sont tranquilles ici !

Elle est mignonne !…

Et puis, elle a enchaîné, sûrement pour vite changer de sujet.

— Je suis contente de te voir faire des sourires. L'autre jour, j'étais triste pour toi. Ça se voyait que t'en avais gros sur le navet.

Je boulottais ma brioche en souriant.

— Tu vas te marier avec maman ?

Le dernier morceau est parti de travers…

— Tu sais, c'est un peu tôt pour ce genre de décision.

— Ben, moi, je sais que je vais me marier avec Louis.

— On va se laisser un peu de temps, hein ?

— Moi, ça me plairait bien. Comme ça, on pourrait faire comme si tu étais mon papa.

Aïe !

J'ai repris un morceau de brioche. Tant pis !

Après, elle est partie chercher des livres dans sa

chambre et s'est installée à côté de moi. J'en avais profité pour enfiler mon tee-shirt et mon caleçon. Je lui ai lu ses histoires préférées. Je n'avais pas intérêt à sauter une phrase ou à changer un mot, elle connaissait tout par cœur.

39

Olivier, il est gentil, il est tout doux sur les joues et il dessine drôlement bien. Il m'a même dessiné moi, et l'a offert à maman pour m'accrocher dans sa chambre.

Je l'aime bien parce que maman, depuis qu'elle le connaît, elle est plus joyeuse. Elle fait tout pour pas le montrer, mais moi, je le sais. Même si elle a commencé par le ligoter comme un roulé de porc, parce que ma maman, elle ne se laisse pas faire. Moi non plus, d'ailleurs. Les garçons dans la cour, ils n'ont pas intérêt à m'embêter. Sinon, je donne des coups de pied dans le tibia, et après, ils vont pleurer chez la maîtresse.

Il est grand et costaud, mais il a peur des araignées. C'est marrant, qu'il ait peur comme ça. Je lui ai bien dit que les petites bêtes ne mangent pas les grosses, il ne me croit pas. Moi, je les prends dans les mains, ça chatouille, c'est tout. Mais ce que je préfère, c'est les vers de terre. C'est froid et ça se tortille tout le temps.

Après le coup du roulé de porc, il a offert plein de fleurs à maman et il est devenu gentil.

Encore après, j'étais triste parce qu'il avait perdu en même temps sa maman et sa grand-mère. Les deux le même jour, ça ne doit pas être facile. Mais maman l'a consolé et après, ils se sont embrassés.

J'aimerais bien que maman l'aime aussi, parce que

comme ça, ils pourraient se marier et j'aurais un papa, comme mes copines de l'école. Gaëlle et Amélie me parlent tout le temps de leur papa, qui leur raconte des histoires le soir, qui les emmène à la piscine ou faire de la luge. Moi, j'ai un parrain super gentil, mais ce n'est pas pareil qu'un papa. Quand on a un papa, il habite à la maison. Moi, des fois, la nuit, j'ai peur, parce que j'entends des drôles de bruits dans la forêt, ou dans la ferme, et des fois, c'est juste sous le toit. Maman me dit que c'est des souris, mais j'ai peur quand même. Quand je demande à maman où il est le mien, elle me répond qu'elle m'expliquera quand j'aurai grandi un peu. Alors, je mange de la soupe et j'apprends déjà les tables de multiplication. Ça ira peut-être plus vite pour qu'elle m'explique.

Et puis, si j'avais un papa, je pourrais avoir un petit frère ou une petite sœur, et on jouerait ensemble dans la cour.

Je lui ai amené le petit déjeuner au lit, comme ça, il aura envie de revenir, et peut-être même de rester ici.

40

— Suzie t'a réveillé ?

— À peine…

Je savais qu'elle ne pourrait pas résister. Je l'ai de nouveau envoyée chercher les œufs avec Albert. Heureusement que mes poules pondent quotidiennement, et qu'elle adore ça. Un jour, elle comprendra l'alibi. J'ai embrassé Olivier. Il m'a attiré contre lui, mais j'ai résisté. Je n'aime pas sentir la vache, et puis, nous n'étions plus tranquilles comme hier soir.

— Tu me fais faire plein de bêtises avec mes vaches.

— Eh bien, reste avec moi. Laisse-les comploter en paix !

— La prochaine fois, je t'emmène faire la traite, tu feras moins le malin.

À quoi il a répondu en me malaxant les seins :

— Pourquoi pas ? Je commence à y prendre goût.

Et nous y avons pris goût tous les deux. Pas à la traite, à l'amour. L'amour partout et dans tous les sens. Dans le foin, classique. Dans la réserve de grain au grenier, indescriptible. Je tenais à l'essayer partout où Justin était passé. Ça m'aidait à cicatriser. Lavage de cerveau et reprogrammation du corps. On a fait une cure d'amour comme certains font une cure thermale, avec deux à trois soins quotidiens dans des eaux chaudes. L'endroit le plus improbable ? Quand il est arrivé en fin de matinée à la fromagerie et que je rangeais mon matériel. Je n'avais plus qu'à nettoyer. Il m'a enlevé mon pantalon, m'a allongée sur la table en Inox et m'a prise sans autre forme de préliminaire, en me tenant les jambes en l'air avec mes grosses bottes blanches au bout. Je baignais dans le petit lait tiède, qui faisait plic ploc sur les rebords, au rythme de ses mouvements de bassin. On riait fort, ça résonnait. Je lui ai dit que j'allais être trempée. Il m'a répondu que le petit lait, c'était bon pour la peau, comme le colostrum. Le plus drôle, c'est qu'il avait raison. J'ai eu la peau du dos toute douce pendant trois jours.

Nous étions en fin de printemps. L'été fut magnifique. Antoine était content pour moi, Suzie transformée. Olivier apaisé. Et moi, je cicatrisais. Il n'habitait pas à la ferme, trop loin de son boulot, mais venait le weekend, les jours de repos.

Le samedi après le marché, je le rejoignais à son studio pour jouir en toute liberté sonore.

Et puis, la météo s'est dégradée. Le processus devait être engagé depuis longtemps, probablement même dès le départ, voire avant, imperceptiblement, jusqu'au jour où j'ai vraiment pris conscience du changement. J'ai senti Antoine devenir aussi maussade que le temps d'automne et ses premiers brouillards. Il venait moins souvent, me parlait à peine, était moins enthousiaste avec Suzie. Il prenait le boulot en excuse, sans en avoir plus qu'habituellement.

Un matin, il n'a pas répondu au téléphone. Alors, j'y suis allée. Il pleurait en silence à sa table de cuisine, en tournant sa cuillère dans le café. Je me suis assise en face de lui.

— Dis-moi ce qui se passe.

— …

— Je vois bien que tu te refermes comme une huître. Mémé m'a fait la même chose. Tu vas pas mourir de chagrin, rassure-moi ? !

Antoine, pour qu'il parle quand il avait vraiment quelque chose sur le cœur, il fallait le cogner comme un punching-ball, lui faire la manœuvre de Heimlich les deux poings sur l'estomac pour lui faire cracher le truc qu'il avait avalé de travers et qui l'empêchait de respirer.

— C'est plus pareil.

— Qu'est-ce qui n'est plus pareil ?

— Toi, moi, Suzie, nous trois.

C'est bien ce que je craignais.

— T'es jaloux ?

— Non, je ne suis pas jaloux. Je m'en fous d'Olivier. C'est pas mon genre.

— Mais tu as peur qu'il prenne ta place…

— Tu as vu Suzie ? Elle ne parle que de lui. J'ai l'impression de ne plus exister. Je suis son père et c'est presque Olivier qu'elle appelle papa.

— On s'était mis d'accord, Antoine.

Il est resté silencieux un moment. Ses deux yeux ressemblaient à des petites sources de montagne. De l'eau qui sort de la roche et qui coule le long de la paroi. Sans bruit.

— On s'était mis d'accord qu'on ne lui cacherait pas ses origines, mais qu'on lui dirait quand elle serait en âge de comprendre. C'est trop tôt.

— Et si elle se trouve un autre papa, ce sera peut-être trop tard.

— Trop tard pour quoi ? Tu ne seras jamais l'image du père de famille, parce qu'on ne sera jamais une vraie famille.

— Ben oui, je ne suis pas un vrai mec.

— Je n'ai jamais dit ça. Mais admets qu'elle soit à la recherche d'un père. Ses copines lui parlent du leur, forcément. Ou alors, on lui dit tout, mais qu'est-ce qu'elle va comprendre ?

— Rien, elle ne comprendra pas. C'était une mauvaise idée.

— Tu regrettes ?

— Non. Comment veux-tu que je regrette en voyant Suzie ? C'est juste que c'était une mauvaise idée de le lui cacher.

— Tu aurais voulu venir vivre à la maison et faire semblant d'être amoureux de moi ?

— Non plus ! Bouh ! Quelle horreur !

— Ah, ben merci ! Alors, il faut que j'éloigne tous les hommes de moi pour qu'elle n'ait que toi comme référence ?

— Ben, non plus. C'est ridicule. C'est pas parce que je suis pédé qu'il faut que tu te fasses nonne. Mais ça me ronge, c'est tout. Je vous aime trop, j'ai pas envie qu'on vous fasse du mal. C'est ma fille. Et si j'étais un homme à femmes, tu serais la mienne, non ?

— Pourquoi il nous ferait du mal ?

— Tu disais pareil avec Justin.

— Hum…

Là, c'est lui qui m'a mis une droite sans prévenir. J'ai encaissé sans broncher.

— Mais je l'ai à l'œil. Il bouge un petit doigt, je le fracasse.

Je savais qu'il en était capable. Justin aussi le savait, c'est pour ça qu'on ne l'avait jamais revu.

— Écoute, j'en ai marre que tu fasses la gueule comme ça. T'es mon meilleur ami, et j'ai besoin de toi. Tu es aussi le parrain de Suzie et elle a aussi besoin de toi.

— Vous semblez pourtant comblées toutes les deux, avec lui…

— Eh bien, on va dire qu'on déborde de bonheur, avec vous deux. Tu n'as qu'à profiter de notre trop-plein pour en prendre un peu pour toi.

J'ai senti ce jour-là que ça n'allait pas être simple. Antoine avait Olivier dans le collimateur, et je savais qu'au moindre faux pas, il ne se priverait pas de le remettre à sa place. Je le comprenais. Il était père, et son instinct de protection l'honorait. C'est le contraire qui aurait été inquiétant. Peut-être qu'en remplissant le bon d'insémination, il n'avait pas mesuré l'ampleur des sentiments paternels qui allaient se développer avec l'arrivée de Suzie.

J'étais au milieu et je devais jongler, pour ne froisser personne. Chacun de nous avait eu affaire à des gros cons sans cœur, et chacun craignait pour l'autre. Je m'inquiétais pour eux, et eux voulaient prendre soin de moi. Mais entre eux, la relation était plus complexe. Une sorte de triangulaire infernale dont l'un des côtés ne serait pas aussi linéaire que les autres. Tout aurait été si simple si Olivier avait été le père. Mais Suzie n'aurait pas été Suzie. Je ne pouvais même pas l'imaginer autrement.

J'avais l'impression d'être au milieu d'une balançoire à deux sièges. En équilibre sur la barre transversale. J'allais vers l'un et la balançoire penchait vers lui, j'allais vers l'autre, c'était l'inverse.

Et je n'avais pas de solution…

41

L'envie n'était plus frénétique et obsessionnelle, mais devenue raisonnable et plaisante.

Non que j'en aie fait le tour. Quoique, il n'y avait pas un centimètre carré que je ne connaissais pas. Elle était parfois gênée que j'aille farfouiller dans tous les recoins, mais j'avais entrepris de compter ses grains de beauté. Et il y en avait beaucoup. Certains dans des endroits bien cachés. Je cherchais parfois la lampe de bureau, pour être sûr de n'en louper aucun, ce qui la mettait un peu mal à l'aise. Elle avait l'impression d'être, au choix, tantôt chez le dermatologue, tantôt chez le gynécologue. Mais j'éteignais vite et j'espérais surtout que le gynéco ne lui fasse pas la même chose que moi après. Il m'a fallu être méthodique. J'ai dessiné son corps sur une feuille, en le découpant en morceaux, comme le poster du bœuf chez le boucher. Je rangeais mon décompte dans le tiroir de sa table de nuit. Ça m'a pris un mois. Parce que je ne pouvais le faire que quand nous faisions l'amour dans la chambre, ce qui était finalement assez rare. Sept cent quarante-neuf. Au moins, elle n'avait pas besoin d'un contrôle dermato. Je les connaissais tous, et s'ils avaient changé d'aspect, je l'aurais su. Mon endroit préféré parmi tous restait cette petite zone à droite de son nombril où les grains de beauté avaient pris la forme de la Grande Ourse. Moi qui ne peux m'empêcher, depuis que je sais qu'elle existe, de lever le nez les nuits étoilées pour la trouver, même à trente-huit ans…

Nous avions donc encore envie, mais moins besoin. Comme les randonneurs qui adoptent un rythme de croisière, moins soutenu, pour tenir la distance. Comme j'avais prévu de finir ma vie avec elle, il fallait ménager la monture. Les hommes ne le disent pas, mais avoir vingt ans de plus dans les pattes, y compris celle du milieu, ça se sent.

De toute façon, j'avais autant de plaisir à évoluer à côté d'elle qu'en elle. Rien que l'idée de monter la voir après ma journée de travail avait le même effet que mes douches hygiéniques, auxquelles je n'avais pas totalement renoncé, selon la synchronisation de nos agendas. Le week-end, je pouvais passer des heures à la regarder travailler. Sur son tracteur, elle était précise, efficace, mais minimaliste. Antoine était plutôt du genre à déraper dans les graviers et faire trente-six mouvements pour un même objectif. Il devait en consommer du gasoil. Il avait un petit tracteur, dérisoire en regard de sa taille, comme un gamin de treize ans sur un tracteur en plastique, mais il savait très bien le manier. Le jour où j'en ai fait la remarque à Marie, elle a eu un fou rire assez surprenant. Elle s'est tenue les côtes un moment avant de pouvoir m'expliquer la théorie d'Antoine et le rapprochement infaillible de celle-ci avec ma constatation.

Ce que j'aimais la voir rire. Une grosse bouffée d'oxygène, moi qui avais vécu en apnée jusque-là.

Les envies de Marie se sont aussi légèrement modérées quand elle a commencé à sentir qu'Antoine broyait du noir. Je prenais vaguement conscience qu'il se passait quelque chose. La relation qu'il avait avec

Suzie quand j'étais arrivé dans leur vie n'était plus tout à fait la même. Et moi, je ne savais pas trop quoi faire de leur situation complètement dingue. Je ne pouvais pas repousser Suzie, sous prétexte que son parrain était son vrai père et qu'il allait souffrir qu'elle en cherche un autre ailleurs. Je ne pouvais pas non plus lui piquer sa fille, la bouche en cœur, sans qu'il ne réagisse. Mais il ne jouait pas le jeu, et ça m'horripilait. Après tout, c'était lui qui avait eu l'idée, pour l'empêcher d'aller en Espagne. Ils avaient bien réfléchi. Mais ils avaient dû oublier de considérer l'éventualité d'un nouvel homme dans la vie de Marie. Et moi, j'étais là. Elle aurait été se faire inséminer en Espagne, la situation aurait été plus simple. Mais ce n'était pas à moi de juger. De toute façon, c'était fait, et le résultat était plutôt attendrissant. Elle avait l'intelligence de sa mère et le sourire de son père. Elle avait aussi un coup de crayon vraiment intéressant. Comme quoi, j'avais un peu ma place aussi dans cette petite famille et j'étais bien décidé à dessiner avec elle, pour développer ce qu'elle possédait déjà.

Alors, comment faire ? Nous ne pouvions pas demander à Suzie de m'ignorer et de redevenir exclusive à son père/parrain.

La relation avec Antoine s'est donc tendue de semaine en semaine. Il venait de moins en moins, ne prenait Suzie chez lui qu'occasionnellement, envoyait bouler Marie quand elle lui demandait un coup de main. Et à moi, il ne parlait quasiment plus.

Ajoutez à cela sa propre mère qui était venue passer une semaine chez lui, en lui annonçant que son père allait vendre la ferme et qu'il comptait bien profiter de l'argent, en dépenser un maximum, pour en laisser le moins possible à son pédé de fils.

Quel salaud de pouvoir non seulement imaginer ce genre de stratagème, mais en plus de le réaliser.

Antoine était à cran. Pas pour le fric. Même si un héritage, pour un agriculteur, permet souvent d'acheter un plus gros tracteur. Oui, alors, non, Antoine s'en foutait.

Non, il était à cran de se savoir à ce point méprisé pour ce qu'il était.

Enfin, merde ! Qu'il en veuille à ses parents, d'accord, j'en veux bien aux miens, mais de là à grogner dans son coin contre tout le monde…

42

À ma plus grande joie, ma mère est arrivée,
De son regard sournois, elle m'a dévisagé.
Ne te réjouis pas trop, je suis toujours pédé,
Et tu repars bientôt ? J'aime ma tranquillité.

Marie, comme tu me manques, j'aime que tu sois tout près,
Toi, la boule de pétanque, et moi, le cochonnet.
Tu préfères être celle, en haut du bilboquet,
Eh bien, va-t'en, ma belle, avec ce coquelet.

Je finirai ma vie, en vieux célibataire,
Sans amant, sans amis, en râleur grabataire.
Je suis un égoïste, je te voulais pour moi,

Mais mon grand corps résiste, allant contre l'émoi.
Le problème, c'est Suzie, nom de Dieu, c'que je l'aime !
Elle est quand même ma fille, mon soleil, mon poème,
Oh, je t'en prie, Marie, ne m'abandonne pas !
Vous êtes toute ma vie, sans vous, je ne suis pas.

43

C'était la première fois que je rencontrais sa mère. Antoine n'en parlait jamais vraiment. On n'étale pas au grand jour les hontes cachées et les invraisemblables dégoûts familiaux. Parce qu'au fond, renier les ascendants génétiques, c'est peut-être admettre qu'on a un risque d'être porteur de ce que l'on rejette. En s'enfonçant au fin fond d'une vallée montagneuse, Antoine avait eu envie d'oublier d'où il venait, de qui, surtout. Ce n'était pas pour touiller le passé régulièrement comme le sang de porc, pour éviter qu'il ne coagule. Non, Antoine voulait cautériser les plaies, à vif, la ceinture entre les dents, pour qu'on n'en parle pas. Son père, il ne l'évoquait même plus. Quand Antoine a fait ses révélations, il ne lui a plus adressé la parole. Peut-être était-ce lui, à l'origine des lettres d'insultes, des actes de vandalisme. C'est donc tellement impossible à admettre pour certains parents ? Je croyais qu'un père et une mère ne souhaitaient que le meilleur pour leur enfant.

Quoique…

Les contre-exemples commencent à s'accumuler autour de moi. Eux voulaient qu'il se marie avec une fille du village, dont le père avait des terres un peu plus haut sur le coteau, derrière leur ferme. Un mariage arrangé pour agrandir l'exploitation. Il a bien été obligé de leur avouer son homosexualité. Il n'aurait pas pu jouer la comédie bien longtemps. Et puis, il avait sa fierté, son honneur.

Ça devait faire six ans qu'ils ne s'étaient pas vus. Lui ne retournait plus dans le Cantal et elle ne quittait jamais sa maison. Il l'appelait deux fois par an. Pour son anniversaire et pour Noël. Le minimum syndical. Il s'est demandé pourquoi elle s'était invitée une petite semaine pour venir voir son fils qui ne semblait pas lui manquer outre mesure.

Ça ne l'a pas emballé. Depuis quelques semaines, il était ronchon, ne se confiait plus comme avant, à cause d'Olivier, mais cette nouvelle-là, il est quand même venu me l'annoncer. Il m'a aussi demandé s'il pouvait passer à la ferme avec elle, pour lui présenter sa « filleule », dont il était si fier. Je n'y voyais aucun inconvénient.

C'était une p'tite vieille, malgré sa grande taille. Je comprenais mieux les dimensions d'Antoine. Elle avait soixante-quatre ans et en faisait dix de plus. Sûrement la robe en synthétique motifs psychédéliques, avec les chaussures brunes à talons épais et le gilet gris tricoté maison. La serpillière de Thérèse. Marjorie aurait fait une syncope. Elle était le stéréotype de la vieille paysanne en jupe à fleurs et gros derrière. Ça, c'était pour l'apparence. Le caractère, c'était pire encore. Antoine était nerveux en me la présentant. Il m'avait prévenue qu'elle était un peu « particulière ». Ses yeux m'ont dérangée. Un regard perfide, faux, presque angoissant. J'ai cherché à qui elle me faisait penser. Bingo ! À la fouine que j'avais surprise dans le hangar, en train de se barrer avec une petite poule dans la gueule. L'air de ne pas y toucher, mais ravageuse.

Elle voulait absolument embrasser Suzie, qui s'est réfugiée dans le cou d'Antoine. M'a ensuite demandé ce que je faisais à la ferme, depuis quand on se connaissait, et puis, elle a commencé à déraper.

— Regarde, Antoine, ce serait tellement bien, une petite famille comme ton amie.

— Arrête, maman ! a-t-il essayé d'un ton sec.

— C'est vrai, une petite femme, pour me donner des petits-enfants, et puis, ça ferait plaisir à ton père.

— Arrête maintenant ! s'est-il énervé.

Rien à faire, elle a continué en s'adressant à moi :

— Vous ne trouvez pas que c'est dommage, un si bel homme ? ! Son chemin était tout tracé, chez nous à la ferme. C'est quand même pas sorcier de tomber amoureux d'une jolie fille. Elle était jolie la Sandrine qu'on t'avait trouvée. Mais Antoine n'a jamais fait aucun effort pour nous faire plaisir.

Elle disait ça avec un ton mielleux, un peu vicieux, sûre d'elle. Le type de la Gestapo qui envoie les décharges électriques sans aucun état d'âme.

— Je trouve que c'est dommage que vous n'acceptiez pas votre fils tel qu'il est.

Je n'ai pas pu résister. Je suis comme ça. Quand on s'en prend à un être cher, je montre les dents. Même si c'est sa mère. Surtout si c'est sa mère. Elle a tourné les talons et a fait semblant de s'intéresser aux vaches. Je suis sûre qu'elle ne se rendait même pas compte du mal qu'elle faisait à son fils. Comment Antoine pouvait-il venir de ce ventre-là ? Antoine, mon meilleur ami, un type doux, sensible, intelligent, respectueux et généreux. Une erreur de casting, une réincarnation qui part de travers, et vous avez un agneau qui atterrit au milieu des loups. Comme Olivier.

Ne cherchez pas. J'attire les agneaux sauvés des loups ! Je vais bientôt pouvoir ouvrir un refuge.

Il a su le dernier jour pourquoi elle était venue. Lui annoncer la vente de la ferme. Mais ils lui laissaient une dernière chance, une semaine pour revenir dans le Cantal et le droit chemin afin de reprendre l'exploitation, à condition de marier la Sandrine. Toujours libre dix ans après. C'est dire si elle devait être jolie.

Il l'a raccompagnée à la gare, l'a déposée sur le quai et est reparti sans attendre le train.

Il est venu me parler tout l'après-midi. Le moral à zéro.

Honteux de m'avoir présenté sa mère.

Il y en avait d'autres comme ça.

Malheureux de se sentir délaissé.

Par qui ?

La peur d'être seul.

Et moi, je comptais pour du beurre ? (Celui un peu plus cher, parce qu'il y a le sourire de la crémière). Lui ne les voyait même plus, mes sourires.

Je me tuais à lui expliquer la même chose depuis des semaines, et il n'arrivait pas à l'intégrer. Non, tu n'es pas délaissé, mais si, je t'aime encore, mais bien sûr, Suzie aussi. Non, ça ne change rien à notre relation. Bien sûr que si, tu viens quand tu veux à la ferme. Mais non, tu ne déranges jamais. Enfin sauf quand je suis à moitié nue sur la table de la cuisine.

— Ah, tu vois ? s'est-il précipité de répondre.

Quelle mauvaise foi ! Ça n'était jamais arrivé. Il savait exactement quand Olivier travaillait et il pouvait aussi téléphoner avant de passer.

Et en parlant du loup, enfin de l'autre agneau, enfin de l'agneau devenu loup, ça dépendait pour qui, Olivier est arrivé pour le week-end. L'agneau du Cantal a remballé tout son chagrin, comme on ramasse ses affaires de classe quand la cloche a sonné. Bien rangé dans le cartable, et hop, sur le dos, même si ça pesait lourd. Il n'allait quand même pas se montrer faible, lui qui était censé fracasser mon amoureux au moindre petit doigt levé.

C'est le piano qui a entraîné le point de rupture de cette situation, que, de toute façon, je commençais à ne plus supporter. Suzie rêvait d'apprendre à en jouer, admirative de sa maîtresse de maternelle. Mais, sans piano à la maison, les cours me semblaient sans grand intérêt. Comme si j'avais appris à faire du fromage sans avoir de vache. Et puis, un jour, la maîtresse m'a dit qu'une vieille dame du village, qui partait en maison de retraite, donnait son piano. J'ai sauté sur l'occasion. Donné, en plus. Il ne me coûterait que le prix de l'accordage. Mais il a fallu le transporter. Forcément, j'ai demandé à Antoine de venir avec sa petite bétaillère, et à Olivier de ramener ses muscles.

La maison n'était pas très grande, mais le piano était à l'étage, auquel on accédait par un escalier courbe. Ils se sont grattés la tête en silence. On s'est même demandé si la maison n'avait pas été construite autour du piano. La petite dame, très gentille, leur a assuré qu'il était monté par là, puisqu'elle les avait vus faire et qu'ils n'étaient que deux. Elle a continué en leur disant qu'à l'époque, les hommes étaient vigoureux, et qu'ils avaient l'habitude de travailler dur dans les champs. Antoine a fait un bond. Elle avait égratigné sa susceptibilité. Ils y arriveraient, coûte que coûte. Pour le transporter jusqu'à l'escalier, la tâche fut relativement facile. C'est après que cela s'est compliqué. Ils ont longuement tergiversé sur la façon de faire. Une fois engagés, ils n'auraient plus droit à l'erreur. Ensuite s'est posée la question de l'ordre de passage. Qui allait en dessous ? Le plus fort *a priori*. Antoine était persuadé que le travail de paysan musclait plus que celui de flic. Mais Olivier n'avait rien à lui envier. J'étais bien placée pour le savoir. Acharné de VTT. C'est là qu'ils ont commencé à se disputer. Olivier a enlevé son tee-shirt, pour bomber le torse. Dans la seconde d'après, je portais aussi celui d'Antoine. Il était un peu plus enveloppé, et poilu. C'est ce que j'aimais chez lui, me sentir dans ses bras comme sur un matelas moelleux, parce qu'on sentait l'épaisseur des poils à travers le tee-shirt. Oui, parce qu'Antoine gardait son tee-shirt pour me prendre dans les bras. Son pantalon aussi. Olivier un peu moins. Cela dit, Antoine était sûrement plus fort qu'Olivier, mais j'ai refusé de trancher. Et puis, quoi encore ? ! Pour m'attirer les foudres de celui qui serait derrière ? Olivier a cédé et Antoine est passé devant. Si je n'avais pas été coincée à l'étage derrière le piano, je serais partie les attendre dehors, pour ne pas entendre le combat de coqs qu'ils se sont menés durant toute la descente. C'était insupportable de les voir s'envoyer des piques à chaque marche. « Et tu t'y prends comme un manche » par-ci ; « et vous les flics, de toute façon, vous voulez toujours avoir raison » par-là ; des « qu'est-ce que t'y connais au piano ! » ; « et toi, tu connais quoi au travail ? »

Ça n'aurait pas été pour Suzie, j'aurais laissé tomber. Cela dit, une fois qu'ils s'étaient engagés, plus moyen de tout laisser en plan. Une fois dans la bétaillère, Olivier a préféré monter à l'arrière avec le piano sous le prétexte de vérifier la stabilité dans les virages. Antoine n'a pas dit un mot. Moi, non plus. C'était pathétique. Je le sentais prêt à exploser. Une Cocotte-Minute qui a fini la cuisson des patates et qui va bientôt laisser sortir la pression. Avec les patates.

Ils ont remis ça à la ferme quand il a été question de l'installer dans le salon. J'avais prévu de ré-agencer les lieux, ce qui impliquait de déplacer le canapé, lequel servait malheureusement de repère à un monstre à huit pattes. Velues, les pattes. Olivier a sursauté et Antoine l'a traité de tapette. Un comble ! Il s'est ensuite fait traiter de gros paysan, ce qui, malgré l'once de vérité évidente qui émanait de l'insulte, avait généralement pour effet de le faire sortir de ses gonds.

Ils en sont donc tout naturellement venus aux mains, avec cependant la délicatesse d'aller régler leurs affaires à l'extérieur. Je n'ai même pas cherché à intervenir. Après tout, c'était peut-être la solution pour en finir avec cette rivalité ridicule qui faisait souffrir tout le monde. C'était un truc de mec. On se castagne un bon coup et après, on se tape sur l'épaule autour d'une bonne bière.

Quand Olivier s'est mis à saigner du nez, j'ai quand même eu la trouille qu'ils s'abîment pour de bon. Il a, en réponse, éclaté l'arcade sourcilière d'Antoine. Je suis montée chercher des compresses et du sparadrap à l'étage. En redescendant, avant de ressortir dans la cour, j'ai mis quelques bières au frais, des fois que... Ils étaient toujours en train de se battre. Aucun ne prenait le dessus, comme dans les bons westerns, quand les cow-boys se battent jusqu'à épuisement. J'ai donc eu le temps d'aller chercher un peu de colostrum chez la vache qui avait vêlé la veille. Elles sont sympas les vaches, à fournir du colostrum quand on en a besoin. Ce n'est pas un complot, c'est de l'aide humanitaire. Quand je suis revenue m'asseoir sur le petit banc devant la cuisine, ils n'étaient toujours pas départagés, mais la fatigue se faisait sentir. Ils étaient dans un sale état. Ce n'est pas ce soir qu'Olivier allait compter mes grains de beauté.

— Suzie va rentrer de l'école. Elle ne va pas être fière de vous !

Ils n'entendaient même pas.

Albert me regardait avec deux points d'interrogation dans les prunelles.

— Qu'est-ce que tu veux que je te dise ? ! Finalement, les hommes ne sont pas bien plus évolués que les animaux. Il faut toujours un mâle dominant devant la femelle. Et puis, tu sais, ça doit être une histoire d'hormone.

Il a dressé les oreilles et filé à l'entrée du chemin pour accueillir Suzie. Elle est arrivée toute joyeuse et j'ai vu son visage se décomposer en les voyant se battre comme des chiffonniers. Elle a lâché son sac et s'est approchée d'eux en hurlant :

— Ça va pas dans vot' tête de caboche ? Arrêtez tout de suite.

Et elle leur a décoché à chacun un coup de pied dans le tibia. Elle y a vraiment mis tout son cœur. La fatigue aidant, ils se sont écroulés l'un à côté de l'autre, en se tenant la jambe. Celle-ci, ça se voit de quel ventre elle est sortie. Pas d'erreur de casting. Suzie a hurlé de plus belle qu'elle s'était réjouie toute la journée pour voir son nouveau piano, et qu'elle leur avait fait un dessin chacun pour les remercier. Elle a sorti les deux dessins et les a déchirés devant eux, en laissant tomber les morceaux de papier sur leurs têtes. Et puis, elle a disparu dans sa chambre.

Elle pleurait à chaudes larmes sur son lit.

— Pourquoi ils se battent, maman ?

— Parce qu'ils t'aiment vraiment très fort, je crois.

— Et alors ?

— Alors, ton parrain a peur que tu l'oublies un peu parce qu'Olivier est là, et Olivier a peur de ne pas trouver sa place au milieu de nous.

— Mais on a de la place pour tout le monde. C'est toi qui me dis tout le temps que l'amour, ça se partage pas, ça se multiplie.

— Bien sûr. On va aller leur expliquer ? D'accord ? Et puis, tu vas m'aider à les soigner, parce qu'ils sont un peu amochés.

— C'est débile.

— Tu sais, parfois, les hommes ont besoin de bomber le torse pour faire les durs, mais c'est parce qu'ils sont fragiles et qu'ils ont besoin de se rassurer, alors il ne faut pas trop leur en vouloir.

Quand nous sommes redescendues dans la cour, ils étaient tous les deux à genoux par terre, au milieu des morceaux de dessins, à essayer de reconstituer chacun le leur.

— Celui-ci, regarde, il doit faire partie du tien.

— Ah ben, alors, j'ai un morceau de ton ciel.

— Et là, les petits cœurs, regarde, ça va là…

— Laissez tomber, je vous en referai un, leur a lancé Suzie. Venez, avec maman, on va vous soigner, et attention parce que ça va piquer. Vous pourrez jouer les gros durs, on saura quand même que vous avez mal, parce que vous êtes fragiles, vous, les hommes.

Ah, je l'aime !

Ils sont arrivés, penauds, en se tapotant le dos et en souriant aux propos de Suzie, qui, du haut de ses cinq ans, avait rompu les hostilités. Je devrais proposer ses services au président de la République pour résoudre le conflit israélo-palestinien.

Ils sont partis prendre une douche, l'un après l'autre, et nous avons pansé les plaies avec des compresses de colostrum. À la suite de quoi, Suzie nous a joué *Au clair de la lune* pendant qu'ils buvaient leur bière sur le canapé. Ensuite, elle leur a déclaré qu'elle les aimait autant l'un que l'autre et que ça ne changerait jamais.

Moi, pareil !

44

Essayez de vous prendre une grande leçon de vie par une gamine de cinq ans : vous verrez, ça fait réfléchir, ça peut même tout changer. Enfin, comme disait Madeleine, les enfants, c'est la vie, et il n'y a qu'à les regarder, parfois, pour tout comprendre.

Quand Suzie nous a filé un coup de pied dans le tibia pour qu'on arrête de se battre, elle a déclenché un nouvel équilibre entre nous quatre. Le lendemain, je me suis rendu chez Antoine pour acter l'armistice que Suzie avait commencé à rédiger. Ce n'est pas tant le tibia qui nous a fait souffrir, même si elle avait tapé sacrément fort, mais de la voir déchirer nos dessins qu'elle avait mis tout son cœur à réaliser pour nous remercier. Ce jour-là, au championnat du monde des cons, nous étions premier *ex aequo* et c'est Suzie qui nous avait remis les médailles, nous faisant comprendre au passage qu'il était ridicule de se battre pour occuper une hypothétique première place là où il n'y avait aucune compétition.

C'était la première fois que j'entrais dans la maison d'Antoine. Des quelques agriculteurs célibataires chez qui j'avais pu me rendre, il sortait franchement du lot. Des petites fleurs sur le bord des fenêtres, des bouquins partout, pas que sur le traitement des mammites ou la reproduction animale. Un rayon entier d'essais traitant de psychologie, entre autres. La maison était petite. Une pièce principale, occupée par une grande table au centre, dont la toile cirée avait perdu toutes ses couleurs à un seul endroit, à force de coups d'éponge, face à la télévision et dos à la cheminée. Laissant deviner que les soirs d'hiver, en rentrant de l'étable, il devait apprécier de manger devant le journal de vingt heures en se réchauffant le dos.

À côté de la table, un fauteuil, caché par une couverture et un chien qui la chauffait. Un border collie, au regard formidablement gentil. Tel maître…

— Il s'appelle comment ?

— Sigmund.

— Sans blague ?

— Sans blague. Mais je l'appelle Sig, c'est plus simple.

— Et il s'entend bien avec Albert ?

— À merveille, ils parlent de la relativité de la psychanalyse.

— Et le tibia, ça va ?

— Putain, elle est aussi forte que sa mère est menue !

— Et de son père, elle a quoi ?

— Sûrement son caractère…

— Ah oui, c'est ça. Maintenant, ça me revient…

— P'tit con ! a-t-il dit en souriant.

Nous avons laissé passer un ange. Je consultais le mien sur l'épaule droite, qui avait pris bien de l'ampleur avec Marie. Difficile de reparler à quelqu'un qui a choisi de vous ignorer, pire, de vous faire comprendre que vous n'étiez pas le bienvenu.

— Pourquoi tu m'en veux ?

— Parce que je ne veux pas les perdre.

— Pourquoi tu les perdrais ?

— Parce que tu les veux.
— Moi, je ne veux personne. Juste être heureux.
— Moi aussi.
— C'est incompatible ?
— Elles sont ma seule vraie famille.
— Moi aussi. Mais je n'ai pas besoin qu'elles me soient exclusives.
— C'est pourtant ce qui arrive avec Suzie.
— C'est nouveau pour elle. Elle va vite se lasser de moi. Je peux lui parler.
— Pour lui dire quoi ?
— Tout ça. Elle est intelligente, elle comprendra.
— Ah, ça, ça vient de moi aussi.
— Ben tiens !
— Tu l'aimes, Marie, hein ?
— Tu y crois, toi, au coup de foudre ?
— Oh, moi, tu sais… je ne crois pas à l'amour, d'une manière générale. Le coup de foudre, ça fait brûler vif les animaux piégés dans la grange.
— Alors, l'effet papillon. Un battement de cil de Marie et dans ton ventre, tu sens un ouragan, tes plaques qui dansent la tectonique et font monter le volcan au fond duquel un magma se met à bouillonner, cherchant la lumière pour…
— Oh, oh, ne me parle pas trop de ton volcan, va ! Surtout pas toi !
— Marie, elle m'a révélé le monde, tel que j'aurais toujours dû le voir. Même son sale caractère, j'y tiens. Et puis, l'amour avec elle…
— Tss tss tss, ça ne me regarde pas.
— Pourtant, tu aurais des choses à raconter, toi aussi.
— Qu'est-ce que tu veux savoir ?
— Si c'était bien.

— Ça t'intéresse, hein, de savoir si un pédé a pu prendre son pied avec une femme !

— J'ai besoin d'être sûr.

— Sûr de quoi ?

— Que tu ne changeras jamais d'avis.

— Moi, je suis sûr que j'ai bien fait de quitter le Cantal pour éviter le mariage avec l'autre folle.

— Mais Marie, c'est Marie !

— Et une femme est une femme. Je ne peux pas. C'est comme ça.

— Tu as pu, au moins une fois.

— Je m'étais engagé.

— Et comment t'as fait ?

— J'ai pensé à Orlando Bloom.

Nom de Dieu ! Ils se connaissaient comme les deux doigts de la main. Si lui en doutait, moi, je savais qu'il ne la perdrait jamais. Elle était tellement attachée à lui. Certainement plus qu'à moi. J'étais effrayé à l'idée qu'elle puisse l'être trop et que je ne trouve jamais ma place. Je n'avais pas leur histoire, leur complicité, ni leur fille en commun. Ils ne formaient pas un couple, mais qu'est-ce qu'ils formaient alors ? ! Un truc inédit, qu'aucun mot ne définissait dans le dictionnaire. Encore moins dans mes bouquins du rayon sexualité de la bibliothèque. Un mélange d'amour, d'amitié, de génétique, sur fond de divergence sexuelle. Et moi, il fallait que je me fasse ma place au milieu de cela. La pièce rapportée, l'élément qu'on ajoute à un mobile et qui déséquilibre l'ensemble.

J'ai commencé à me dire que c'était trop beau. Typique de ceux qui sont programmés pour le malheur. À force de voir la pluie tomber, on en vient à se dire que le soleil est une vue de l'esprit. Marie n'était pas une vue de l'esprit, mes mains sur sa peau suffisaient à m'en convaincre. Mais ce bonheur que je touchais du bout des doigts ? C'est quand même incroyable cette capacité qu'a l'homme de douter de son rêve quand il le réalise. Parce que oui, Marie était l'incarnation de mon rêve le plus fou. Trouver quelqu'un qui me fasse sortir de l'ombre. Olivier Delombre, à la lumière. Une lumière qui m'éclaire dans mes choix, dans mes envies. Marie est ma lumière divine. Celle de la Pentecôte au-dessus des apôtres. Et je ressuscite de mon enfance qui avait gâché tout espoir d'avenir radieux.

Mais, je n'étais pas la seule planète dans le système solaire de Marie. Antoine était son meilleur ami. Le seul. Elle le connaissait sur le bout des doigts. Il eût été son *pépé,* s'il avait pris la voie classique. Mais rien n'était classique ici, sauf la musique en salle de traite. Il paraît que les vaches donnent mieux leur lait. Je devrais essayer à la brigade. Les prévenus donneraient peut-être mieux leurs aveux. Non, rien de classique. l'originalité est intéressante, mais parfois difficile à intégrer.

— Marie aussi, elle t'aime.

— Elle te l'a dit ?

— Elle me dit tout.

— Tout ?

— Tout.

— Même les…

— Mais non. Elle me dit ce qu'elle a envie de me dire. De toute façon, ce que vous faites dans l'obscurité ne m'intéresse pas. Elle me dit ce qu'elle ressent. Elle me dit que tu guéris ses plaies. Que tu n'as pas trop de caractère, ce qui lui permet de garder le sien. Que tu dessines la vie comme elle aime la voir. Que tu as cette faille qui te rend fragile, mais qui a permis de laisser entrer la lumière et donner des couleurs à ta caverne.

— Ma caverne ?

— Ne cherche pas à comprendre. Marie a des zones d'ombres. Je ne déchiffre pas tout, non plus.

— Alors, on fait comment pour vivre à quatre ?

— On se respecte. On arrête de s'envoyer des enclumes et des poissons périmés dans la gueule et...

— Tu parles de quoi, là ?

— Tu ne connais pas ? Ordralphabétix ? Cetautomatix ?

— Je préfère Astérix, le plus intelligent !

— Ben voyons !

— C'est toi le plus fort, non ? ! Tu le disais hier, avec le piano.

— Et je suis tombé dans quoi quand j'étais petit ? C'est quoi, ma potion magique ?

— Marie ! T'es tombé sur elle en arrivant ici, non ? Elle te fait du bien, te rend plus fort, non ?

— Si !

— Alors, elle est ta potion magique. Donc, tu n'as plus le droit d'y toucher puisque tu es tombé dedans. C'est moi qui me régale, maintenant.

— « N'aie crainte, ô chevalier, venu de nulle part, Je te laisse ta princesse, j'ai déjà eu ma part. »

— Tu parles souvent en alexandrins ?

— Avec mes vaches, tout le temps. Et dis à Suzie qu'elle a intérêt à continuer à me faire des dessins si elle veut que je continue à lui faire donner à boire à mes veaux avec la tétine.

— T'as du Scotch ?

Ni l'un ni l'autre n'avions pu mettre le dessin de Suzie à la poubelle. On a utilisé un rouleau de Scotch entier, mais nous avons chacun reconstitué le nôtre.

Je l'ai ensuite aidé à pailler ses bêtes, tout en parlant. De notre enfance, de nos souffrances. De son rejet pur et simple, parce qu'il était homo. Ça m'a rappelé Achille, et la tendresse que j'avais pour lui. Antoine a évoqué son père, obtus et moyenâgeux, qui parlait des bougnoules comme d'une race de chien et des noirs comme d'un tas de sauvages, alors les pédés… Qui plus est son fils. Injure suprême, erreur de la nature, la brebis galeuse qu'il faut éloigner du troupeau, comme Achille dans la cour du collège. C'est bizarre la vie, quand même, qui vous fait revivre des événements trente ans après.

Il m'a demandé de quoi je me souvenais de mes parents. Et j'ai réalisé qu'au contact de Suzie, des souvenirs de moi, à son âge, étaient en train de refaire surface. Douloureusement. Les torgnoles, les punitions, les châtiments. Du genre ? De me laisser dehors, en slip, quand il pleuvait. Je m'en foutais, j'allais frapper chez Madeleine. De me laisser à genoux, les mains sur la tête, sur l'arête d'une marche de l'escalier. Et si je pleurais, je m'en prenais une en plus. Du ceinturon, c'était un classique. Mais lui frappait du côté de la boucle en métal. De mon annexe à ma chambre : le placard, dans lequel je dormais assis. Des coups de poing et des brûlures de cigarette, seulement pendant les vacances, pour que la maîtresse ne les voit pas. C'est pour dire le degré de perversité.

Ça a filé la nausée à Antoine. Il s'est senti heureux de ses quelques fessées qui lui avaient chauffé le derrière. Il s'est interrogé sur les services sociaux, ladite maîtresse d'école.

Bien sûr qu'elle avait remarqué quelque chose. Longtemps après mon entrée à l'école. Mon père était un gros con, mais suffisamment finaud pour ne pas laisser de traces visibles. Elle a remarqué le bleu sur ma joue le jour où sa torgnole m'a déséquilibré et que je me suis pris le coin du meuble. Ma mère avait essayé de me maquiller avant l'école. Tu parles !

La maîtresse m'avait pris à part, à la récré, pour

parler avec moi. Elle était gentille, elle a senti que je n'avais le droit de rien dire. Elle m'a dit qu'elle allait m'aider. Mais elle ne pouvait pas me garder à l'école. Il fallait bien que je rentre chez moi, le soir. Et le temps que le dossier arrive à la DDASS, soit traité, qu'une enquête soit faite, j'avais le temps de mourir trois fois. S'il n'y avait pas eu le coup de couteau, ils auraient peut-être fini par trouver la maison, quand même. Là, c'était juste un bon coup d'accélérateur.

Je lui ai parlé de ma phobie des araignées. Il m'a expliqué pourquoi « gros paysan » était une insulte qu'il ne supportait pas.

— Parce que c'est méprisant. Et que je ne suis pas gros.

— Comme Obélix, en fait ?

— Va te faire foutre ! m'a-t-il dit, en rentrant dans sa cuisine, après m'avoir fait signe de la main, en rigolant.

J'ai ensuite fait un crochet par la ferme, pour boire un peu de potion magique et recompter des grains de beauté.

45

Sept cent quarante-neuf.

Je me maintiens.

Mais nous n'avons pas beaucoup dormi.

Curieuse de connaître le contenu de leurs échanges, j'ai essuyé un refus catégorique.

Secret défense.

J'aurais aimé être une petite souris, cachée là-bas, sous le buffet de la cuisine, pour les écouter. Ils ont forcément parlé de moi. Il faut une sacrée dose de confiance en soi pour se moquer complètement de ce que les autres disent de vous. Parce qu'on a sans cesse besoin de se rassurer, de se sentir aimé. Et pourtant, nous devons en louper des conversations dont nous sommes l'objet. En sortant de la boulangerie, devant l'école, au marché… Partout, tout le temps, les hommes et les femmes parlent des autres hommes et des autres femmes. C'est dans la nature humaine. Et parfois, il vaut mieux l'ignorer.

Pour ma part, j'ai simplement besoin de savoir s'ils m'aiment. L'un et l'autre. Alors, je lui ai posé la question. Ça n'est pas secret défense, au moins ? !

Oh, ma douce fermière, tu me donnes des envies,
C'est ton petit derrière, responsable en partie,

Sans oublier tes yeux, pétillants et sincères.
Je suis le plus joyeux, des flics de la terre.
Que dire de tes tétons, que je mordille sans fin,
De tes petits seins ronds, de la taille de mes mains,
Mon appétit s'aiguise, devant ton chocolat,
Et je suce à ma guise, ton petit ventre plat,
À tort ou à raison, je t'aime tout entière,
Caractère de cochon, clignement de paupière,
De tout le vaste monde, il n'y en a qu'une pour moi,
Elle est belle, et j'adore la prendre dans mes bras.

— Depuis quand tu parles en alexandrins ?
— Depuis qu'Antoine m'a présenté ses vaches.

46

Après quelques mois de cette vie-là, le retour dans la plaine commençait à peser. Faire la route tous les matins pour la brigade était inconcevable. Ne les voir parfois que le week-end insuffisant. Faire venir Marie en ville était purement inimaginable. C'était comme déraciner un grand chêne en espérant qu'il reprenne dans le bac à sable d'un square. Me rapprocher en gardant mon poste dans la gendarmerie m'était impossible du fait des infrastructures. Tout laisser pour la rejoindre me tentait chaque jour, mais vivre de quoi ? La maigre retraite, si je démissionnais maintenant, ne me permettrait pas d'en vivre. Et Marie avait déjà du mal à joindre les deux bouts. J'ai bien pensé m'installer avec elle, élever des border collie pour les agriculteurs de la région, louer des VTT aux citadins en mal d'air pur et baliser des parcours dans les montagnes des alentours, mais cela nécessitait d'investir. Avec quel apport personnel ? Mon banquier, perché sur sa branche d'arbre mort, n'aurait jamais consenti à m'aider. La maison de Madeleine ne valait rien. Une pièce unique et un cagibi pour seule chambre, sans sanitaires. Le fruit de la vente ne valait pas la valeur affective que cette maison avait pour moi.

Pour Marie, les choses étaient plus simples. Elle

n'avait rien à changer à sa vie pour la faire avec moi. Elle gardait sa ferme, son travail, son rythme, ses habitudes. C'était à moi de m'adapter. Et puis, je la sentais plus autonome, émotionnellement. Une semaine sans se voir parce que la mienne était chargée, et j'en étais malade. Et surtout fou de la revoir le samedi après le marché. Marie était beaucoup plus posée. Elle savait attendre et se contenter de mon absence. Ça m'énervait. Je me demandais si elle m'aimait comme je l'aimais et si elle était dépendante de moi comme je l'étais d'elle. Je m'étais attaché, et elle semblait libre de moi. Seul à mon piano, dans mon studio en ville, je recommençais à penser que j'étais un pauvre type. Parfois, j'avais envie de la laisser mariner pour voir si elle réagirait. Je n'y arrivais même pas. Elle était tout pour moi, et moi, j'avais l'impression de n'être rien pour elle. Quand je lui en parlais, elle me disait que si bien sûr, elle tenait à moi, qu'on trouverait une solution, qu'il fallait prendre son mal en patience. Je devais déprimer parce que c'est une période où j'ai rempli des carnets entiers de dessins. Je savais qu'il me faudrait des années pour mettre suffisamment de côté et pouvoir penser à ce changement de vie. Mais je ne savais pas si je serais capable de tenir aussi longtemps avec cette vie-là, un peu bricolée et très inconfortable.

Et puis, il y a eu ce soir de novembre où je suis monté à la ferme pour profiter de mon jour de congé le lendemain.

Elle n'était pas comme d'habitude. Elle s'est laissé câliner en finissant la vaisselle. J'avais envie d'elle. Suzie était couchée. Mais je la sentais ailleurs.

— Ça ne va pas ?

— Si ! Si !

Marie ne savait pas mentir. Mais elle ne voulait pas l'admettre.

— Allez, dis-moi ce qui se passe. Tu n'es pas contente de me voir ?

— Mais si, bien sûr !

— C'est ton syndrome prémenstruel ?

— Fous-moi la paix avec ça !

La veille de ses règles et les quelques jours qui suivaient, elle était exécrable. Ça ne durait pas longtemps, mais il valait mieux le savoir et ne pas l'embêter. Ma question était idiote, je connaissais son cycle par cœur. Ça tombait toujours sur le début du week-end. Un week-end d'abstinence en perspective, car elle ne supportait pas que je la touche, à peine que je la prenne dans mes bras. Mais ce soir-là, nous n'y étions pas encore.

— Alors, dis-moi ce qu'il y a.

— J'ai reçu une lettre d'un notaire de Montpellier.

— Qu'est-ce qu'un notaire de Montpellier peut bien te vouloir ?

— Ma mère est morte. Je suis sa seule héritière.

— Et tu sais ce qu'elle te transmet ?

— Oui. Le courrier parle de cent cinquante mille euros en argent. Mais ça m'est égal, je vais y renoncer.

— Quoi ?

— Pourquoi j'accepterais ? Elle ne m'a transmis que ses gènes, pas d'amour. Cet argent, je n'en veux pas. Il sent mauvais. Il me file la nausée. On abandonne sa fille et on se rachète une conscience en lui filant de l'argent ? D'ailleurs, elle n'a peut-être même pas choisi de me le transmettre. Elle était sûrement obligée par la loi. C'est encore pire.

J'étais fou de rage. Moi qui avais vu Madeleine se battre toute sa vie pour survivre et me permettre d'en faire de même. Moi qui cherchais désespérément une solution pour venir vivre ici, sachant que la seule vraie difficulté était financière. Fou de rage. Pour moi, cet argent sentait bon la nouvelle vie, l'amour avec Marie, le bonheur de réaliser mes rêves et de voir au quotidien celles que j'aimais. La mère et la fille.

— Tu ne peux pas faire ça !

— Pourquoi pas ? ! C'est mon héritage, j'en fais ce que je veux.

— Tu sais bien pourquoi ! C'est l'opportunité rêvée pour que je puisse venir vivre ici. Tu ferais une croix sur ça ?

— Non, ça n'a rien à voir. Je ne veux pas construire notre histoire avec son argent.

— Fais abstraction de ton histoire à toi et pense à la nôtre, à Suzie !

— On y arrivera sans.

— Forcément, c'est facile pour toi. Tu n'as rien à changer à ta vie. C'est moi qui fais tous les efforts, pour venir te voir, chercher des solutions pour vivre ici. Et toi, tu attends tranquillement.

— T'es pas obligé de faire tout ça si ça te pèse.

— Ce qui me pèse, c'est ton égoïsme. Il n'y a pas que toi qui souffre dans la vie. Moi non plus, je n'ai pas eu de mère, elle m'a oublié à l'hôpital. Mon père était un connard. Mais si je recevais une lettre d'un notaire, je prendrais l'argent.

— Ben, pas moi.

— C'est de la fierté mal placée. T'es bien dans ton petit monde et tu oublies les autres. Mais à force, les autres vont t'oublier, et tu finiras toute seule dans ce trou perdu, sans argent, sans amis, et certainement sans moi.

Je suis parti sans me retourner. Dépité. Impossible d'y croire. Elle accordait plus d'importance à son minuscule nombril qu'à moi. Elle préférait oublier notre avenir pour ne pas se souvenir de son passé. En renonçant à cet argent, c'est comme si elle renonçait à nous. La vie nous offrait une solution sur un plateau, et elle n'en voulait pas.

J'ai hurlé dans ma voiture, conduit vite, je me foutais des risques et des arbres que je frôlais. Je me foutais de tout, même de Marie. Je me suis couché tout habillé sous ma couette et j'ai pleuré jusqu'au matin.

Je ne suis pas allé bosser, mais j'ai profité de mon absence pour télécharger le formulaire de demande de mutation. Peu importe où. De toute façon, personne ne m'attendait nulle part. Je voulais partir très vite et très loin. J'étais vraiment un pauvre type. Elle ne tenait pas à moi.

Quelques jours plus tard, j'écrivais une lettre à Antoine, pour lui dire que je partais, que j'avais demandé une mutation exceptionnelle, ce qui pouvait être rapide. Je lui demandais de prendre bien soin de Suzie, parce que c'était une petite fille géniale, en lui expliquant que ce n'était pas parce que je partais que je ne l'aimais plus. Je lui ai aussi écrit que je regrettais de ne plus le voir parce qu'il était un type bien, mais que je n'avais plus ma place à la ferme.

Il connaissait mes rêves, nous en avions parlé. Marie n'aurait qu'à lui expliquer comment elle les avait brisés.

47

J'étais fâchée qu'il le prenne ainsi. Je croyais qu'il me comprenait, qu'il accepterait que je n'en veuille pas, même si c'était une grosse somme. J'étais persuadée qu'on y arriverait autrement. Après tout, on ne comptait pas là-dessus. C'est vrai que ça aurait été plus facile, que ça lui aurait permis de venir très vite vivre avec nous à la ferme. Il n'était pas heureux dans son travail. Mais j'aurais eu l'impression de vivre sous la coupe de cette mère inexistante pour le restant de mes jours.

J'étais en colère qu'il soit parti sans qu'on puisse en parler. Mais je pensais qu'il allait revenir. Il revenait toujours. Et puis, cinq jours sont passés sans aucune nouvelle.

Au sixième jour, c'est Antoine qui est arrivé en trombe dans la cour.

— Qu'est-ce qui se passe, Antoine ?

— Je viens te demander l'autorisation de le fracasser. Il est parti, c'est ça ?

— Oui.

— Le salaud, je vais le…

— C'est à cause de moi.

— De toi ? Comment ça, de toi ?

Je lui ai tendu la lettre du notaire.

— Mais c'est génial, ça. Vous allez pouvoir réaliser tous vos projets ! Il est parti à cause de cent cinquante mille euros ? Il est fou ou quoi ? !

— Il est parti parce que je ne veux pas de cet argent.

— Tu ne veux pas de… Tu veux dire que tu renonces à… Mais t'es tombée sur la tête ou quoi ? !

Je ne l'avais jamais entendu crier comme ça. Il ne m'a laissé aucun espace libre pour dire un mot, il a déroulé son laïus comme s'il l'avait appris par cœur.

— T'es tombée sur la tête, Marie ! Pourquoi tu ne veux pas de cet argent ? Parce qu'il vient de ta mère ? Mais l'argent, c'est de l'argent, ça n'a ni odeur ni émotion. C'est juste un bête outil qui permet de vivre, d'échanger, d'acheter et de vendre. Elle ne te refile pas une maison où tu serais obligée d'habiter, elle te transmet de l'argent. Et cet argent, c'est une chance pour vous deux, et même pour vous trois. T'as pensé à Suzie ? Qu'est-ce que tu vas lui dire à ta fille ? Qu'il est parti parce qu'il ne vous aimait plus ? Tu sais bien que c'est faux ! Il vous aime, et tu le sais. Je croyais que ton rêve, c'était de former un couple comme ton pépé et ta mémé. Tu ne trouves pas que tu le touches du doigt ton rêve ? Et tu voudrais tout gâcher sous prétexte que cet argent vient de ta mère ? Mais si tu rejettes tout ce qui vient d'elle parce que ça te fait horreur, va donc te pendre dans l'étable, après tout, tu viens aussi d'elle, non ? ! Tout ce qui vient de cette femme n'est pas maudit. Elle avait peut-être ses raisons de partir, et ça t'en sais rien. Tu l'as jugée sans savoir, sans savoir qui elle était ni pourquoi elle avait fait ça. Je croyais que tu avais réussi un certain détachement par rapport à elle. T'étais même fière de dire qu'elle ne te manquait pas et que tu avais su te construire sans elle. Mais alors, si t'es si équilibrée que ça, cet argent, tu peux le prendre, tu t'en fous que ça vienne de ta mère, de ton père, ou du pape, tant que ça te permet d'être heureuse. Cet héritage, c'est peut-être une revanche sur la vie. Elle n'était pas là pour toi, tu en as souffert, ne me dis pas le contraire, et tu voudrais refaire la même chose avec Suzie ? OK, je suis son père, mais Suzie a besoin d'un homme à la maison, un vrai, un qui est là le soir, qui mange avec elle, qui l'écoute lui raconter sa journée à l'école, qui a sa brosse à dents à côté de la sienne, qui lui raconte des livres avant de dormir et qui la protège des monstres. Tout ça, tu le fais déjà, mais ce n'est pas pareil. Et puis, elle a besoin d'un homme qui câline sa maman, qui lui fait des bisous dans le cou et qui dort avec elle, parce qu'elle a besoin d'une belle image d'un couple qui s'aime pour trouver son équilibre à elle. Et ça, je ne pourrai jamais le lui offrir. Alors, déjà qu'elle n'a pas été conçue de façon très conventionnelle, elle mérite peut-être un peu de stabilité maintenant, non ? Et qu'est-ce qu'il doit penser, aujourd'hui, Olivier ? Que tu préfères renoncer à tous vos projets pourtant motivants, sous prétexte que tu n'as jamais digéré le départ de ta mère ? Mais lui, il n'y est pour rien. C'est vrai, c'est ton héritage, c'est ton argent, mais quand on s'aime, on partage tout, non ? Les joies, les peines, les dettes et les héritages. Et toi, tu préfères le laisser partir. Tu ne vois pas tout ce qu'il fait depuis le début pour te conquérir ? Tu le laisses faire sans prendre toi-même d'initiatives sous prétexte que tu as besoin de cicatriser, mais lui, tu ne crois pas qu'il a des blessures aussi ? On a tous nos blessures, et si on ne prend pas un peu soin les uns des autres, comment on fait pour guérir ? Lui, il a pris soin de toi, il a été doux comme un agneau pour te faire oublier la grosse brute qui t'était passé dessus avant, il est adorable avec ta fille, parce que je crois qu'il l'aime sincèrement, et toi, tu ne vois même pas ses besoins à lui ! Tu sais bien qu'il n'a pas choisi sa vie, il est parti dans la gendarmerie pour aider sa Madeleine. Tu le dis toi-même, c'est un artiste, ce n'est pas un mec pour tenir un flingue et arrêter les méchants de ce monde. Parce que c'est un gentil. Un peu seul, un peu triste, mais gentil. Et ce n'était pas gagné avec le début de vie qu'il a eu. Il aurait pu devenir mauvais comme son père, ou lâche comme sa mère. Il a eu la chance d'avoir Madeleine, qui lui a donné un peu d'amour. Aujourd'hui, elle est partie et lui, il se retrouve dans un boulot qu'il n'a pas choisi, amoureux fou d'une nana qui n'attendait que lui, mais qui oublie de réfléchir quand il est question d'avenir, parce qu'elle rumine le passé. T'as peur ou quoi ? Il ne t'a pas donné assez de preuves ? T'attends quoi pour être heureuse ? Que ta mère revienne ? Mais elle est morte ta mère, et aujourd'hui, elle revient, sous forme d'argent. Putain, Marie, prends-le cet argent et offrez-vous la vie qui vous va. Tu l'aimes, non ? ! C'est l'homme que tu attendais, non ? ! Tu rêves qu'il lâche son boulot et qu'il vienne vivre ici, non ? ! Alors, fais-le pour toi, fais-le pour Suzie, fais-le pour lui, et s'il te plaît, fais-le pour moi. Parce que moi, même en rêve, même avec un million d'euros, je n'aurai jamais cette vie-là. Une jolie vie de famille, dans un petit coin de paradis. Et maintenant, arrête de pleurer comme une vache et viens ici !

Il m'a serrée contre son ventre moelleux et m'a laissée pleurer. Il était venu pour me demander l'autorisation d'aller démolir Olivier et c'est moi qu'il venait de démonter. Je savais qu'il avait raison. Antoine sentait tout, comprenait tout, analysait tout et avait raison sur tout. C'était vraiment énervant. Après sa démonstration sans appel, je n'avais que deux choix possibles : aller me pendre dans l'étable ou accepter l'héritage et espérer revoir Olivier. J'ai opté pour la deuxième, en promettant à Antoine de tenir ma parole, sans savoir comment faire ni si Olivier reviendrait. Je ne voulais pas de cet argent sans lui.

Suzie est arrivée à ce moment-là. Elle avait entendu hurler Antoine depuis l'entrée de la cour.

— Tu veux que je te donne un coup de pied dans le tibia pour que t'arrêtes de faire pleurer maman ?

— Non, je veux que tu lui dises que c'est une tête de cochon, et qu'elle a intérêt à faire ce qu'elle a promis.

— Elle a promis quoi ?

— Tu verras ! Rappelle-lui qu'elle a promis, moi, je m'occupe du reste.

Les trois jours qui ont suivi, Suzie m'a demandé matin et soir si je me souvenais que j'avais promis. Je ne risquais pas d'oublier.

Mais je n'avais pas de nouvelles d'Olivier et je n'arrivais pas à l'appeler. Je craignais qu'il ne parte vraiment et j'étais incapable de le retenir. J'avais peur. C'était ridicule. Grotesque. Et je n'y pouvais rien. J'étais vraiment une tête de cochon.

48

J'avais reçu mon avis de mutation exceptionnelle une semaine après l'avoir envoyée par Intemet. J'étais étonné d'une telle rapidité. Habituellement, une demande comme la mienne pouvait prendre plusieurs mois, sauf si j'avais été en danger de mort. J'étais déjà mort, émotionnellement, mais ça, la hiérarchie s'en fichait. Comme j'étais ouvert à toute destination, ils m'avaient trouvé un poste immédiat. Ça avait dû les arranger. Ma demande était arrivée sur la pile au bon moment. Chartres. Je ne savais même pas trop où c'était. Plutôt dans le nord-est ? Moi qui situe le Mont-Saint-Michel dans le Massif central, je me méfie de mes notions de géographie.

À quoi bon, de toute façon…

Je ne cherchais pas une belle région, je voulais juste quitter celle-ci. Couper la main sous le poignet pour oublier la blessure au doigt. C'était débile. Je tenais à ma main. Je tenais à Marie. Mais alors quoi ? Mettre un pansement et continuer à souffrir ? Souffrir de passer au second plan quand il était question de sa mère ? Souffrir de ne pas vivre avec elle et de la voir se contenter de cette situation ? J'avais mal au cœur. Brisé en deux. Comme un petit-beurre. Plein de miettes partout. J'aurais voulu qu'elle m'appelle, pour me dire qu'elle était désolée, qu'elle m'aimait et qu'elle allait tout faire pour qu'on vive ensemble, y compris accepter cet argent. Mais rien. Je ne comprenais pas ce qui se passait. On était pourtant les plus heureux de la terre. On s'entendait sur tout, on faisait l'amour avec un plaisir indescriptible, on avait les mêmes projets, la même vision de la vie.

Et patatras.

Peut-être qu'on s'aimait trop. Ou peut-être que je m'étais fait un film depuis le début.

J'avais une semaine devant moi, en disponibilité, pour faire mes cartons et aller les déballer là-bas. Le soir même, tout était fini. Vivant dans un meublé, mes affaires personnelles se résumaient à peu de choses. Quelques fringues, un peu de matériel hi-fi, mon vélo, mes albums de dessin. Et mon piano, que j'avais mis en garde-meuble, en attendant de savoir où j'atterrissais.

Le lendemain matin, alors que je chargeais ma voiture, j'ai entendu un bruit familier. Le son précédait l'image. La bétaillère d'Antoine est alors apparue au coin de la rue. Je ne sais pas s'il était venu me dire au revoir, mais il aurait pu choisir autre chose comme moyen de locomotion. Tout le monde le regardait. Antoine s'en foutait, maintenant, du regard des autres. Il en avait assez souffert.

Il s'est arrêté au milieu de la route, comme les livreurs peu scrupuleux, a mis ses warning et est venu vers moi.

— T'allais partir sans dire au revoir ?

— Je t'ai écrit une lettre, tu l'as pas reçue ?

— Si, si !... T'as fini là ?

— Je ferme l'appart, je donne les clés à la voisine, j'attache mon vélo et je pars.

— Mets-le dans la bétaillère, ce sera plus simple et suis-moi en voiture.

— Mais, le vél…

— Discute pas !

Je n'ai pas discuté. Il avait l'air tellement déterminé que je n'ai pas cherché à le contrarier. Un vague souvenir de piano. J'avais une semaine pour m'installer là-bas, s'il voulait faire un tour avec moi, après tout, ça me permettait de lui dire au revoir.

Il s'est arrêté devant le grand parking de la gare, m'a fait signe de garer ma voiture et m'a fait monter à l'avant de sa bétaillère.

— Tu peux m'expliquer où tu m'emmènes ?

— Ben non, justement, je ne peux pas t'expliquer. Tu t'attaches, qu'on soit en règle avec les gendarmes… sont pas arrangeants… j'en connais un ! Et tu me parles de ta vie, ou de politique, ou même de foot, ce que tu veux.

Il a pris la direction de Tarbes, puis de Biarritz. On s'est arrêté pour acheter le journal et un casse-croûte et je lui ai lu les nouvelles du jour pendant qu'il roulait. Quand il a pris la direction de la vallée d'Aspe, j'ai vraiment commencé à me poser des questions. Qu'est-ce qu'on allait foutre avec une bétaillère dans la vallée de mon enfance. J'ai eu le cœur serré en passant le village de Madeleine. On voyait le cimetière, de loin, à flanc de coteau. Et puis, nous sommes arrivés dans une ferme. Un élevage de brebis. Il avait roulé comme un dingue, et moi, j'avais le mal de mer. L'homme semblait connaître Antoine. Le lot de brebis était prêt.

Finalement, on n'a pas eu besoin du casse-croûte, parce que la femme du type avait fait la cuisine pour tout le monde. Antoine ne voulait pas s'attarder, il avait prévu le retour dans l'après-midi. Mais le retour vers où ? Il voulait les prendre chez lui ? Il se mettait au fromage de brebis maintenant ?

On a chargé une bonne épaisseur de paille avant de faire monter les moutons. Antoine avait accroché mon vélo en hauteur. Je suis allé pisser dans le fossé, avant de partir, l'apercevant fixer encore une grosse caisse en bois à l'arrière de la bétaillère. À quatorze heures, nous reprenions la route.

— Et tu ne veux toujours pas me dire ce que tu veux faire de ces brebis ?

— Je veux me diversifier. J'en ai marre des alexandrins, les brebis, ça parle en prose.

— Et la caisse en bois, c'est quoi ?

— C'est une caisse en bois.

OK.

J'ai fini par m'endormir, bercé par le ronron de la bétaillère. Je n'avais quasiment pas dormi depuis une semaine. Le visage de Marie devant les yeux. À dix-huit heures trente, nous étions devant la gare de Foix. Il m'a dit de prendre mes papiers et de le suivre. Tous ces mystères commençaient à sérieusement me courir sur le haricot. J'aimais bien Antoine, mais ça devenait vraiment lourd. Et puis, quand nous sommes arrivés sur le quai numéro trois et que j'ai vu Suzie se précipiter vers moi et me sauter au cou, j'ai commencé à comprendre. Comprendre que depuis ce matin, Antoine avait entrepris de nous raccommoder, Marie et moi. Elle était au bout du quai, assise sur un banc. Elle s'est levée, m'a souri un peu étrangement juste avant qu'Antoine ne nous donne une grande enveloppe et dise à Suzie de nous faire un bisou. Et puis, ils ont disparu dans l'escalator, en se tenant par la main et en rigolant comme des tordus.

« Le train en provenance de Biarritz et à destination

de Marseille va entrer en gare, éloignez-vous de la bordure du quai. »

Nous sommes montés dans le wagon, en cherchant le numéro de place qui figurait sur les billets agrafés à l'enveloppe. Et le train est reparti. On ne s'est pas embrassés tout de suite, on s'est d'abord tenu la main, en regardant par la fenêtre. Le silence valait bien plus que n'importe quel discours.

Au bout d'une heure de trajet, elle m'a chuchoté dans l'oreille :

— Je te demande pardon.

Nous avons relevé l'accoudoir entre nous deux, et je l'ai prise dans mes bras jusqu'à Montpellier. Un peu avant d'entrer en gare, je lui ai chuchoté :

— Moi aussi.

En ouvrant l'enveloppe, elle a souri.

— Je crois qu'il nous a préparé un jeu de piste. Ses vieux restes scouts sûrement !

Il nous avait inscrit l'adresse du notaire. Nous avions rendez-vous à onze heures le lendemain matin et reprenions un train à quinze heures. En arrivant à la gare de Montpellier à minuit, nous devions prendre un taxi et indiquer une adresse au chauffeur. Quand celui-ci nous a déposés devant l'hôtel, on s'est d'abord dit que ça devait être une erreur, il y avait quatre étoiles sur la plaque de l'entrée, mais à la réception, Marie était bien inscrite sur la liste de réservation.

Chambre 69. Quel con !

Ça nous a fait rire.

On s'est embrassés comme des adolescents dans l'ascenseur. J'ai soulevé ses deux jambes autour de mon bassin, tenté d'appuyer sur le bouton stop, mais il était déjà immobilisé à notre étage. En entrant dans la chambre, Marie a écarquillé les yeux en ouvrant la bouche. Elle essayait de parler, ses lèvres bougeaient, mais aucun son n'en sortait. Elle effleurait tout du bout des doigts comme pour en vérifier la réalité. La chambre était immense, le lit aussi large que long. De jolies couleurs pastel éclairées d'une lumière tamisée. Quand elle est entrée dans la salle de bains, elle s'est appuyée au mur un instant. J'ai cru qu'elle allait s'évanouir. Il y avait dans le coin une immense baignoire d'angle, avec une sorte de télécommande. Tout brillait, partout.

J'ai fermé la bonde et j'ai fait couler de l'eau. En mettant la dose de bain moussant. Quand je me suis retourné, elle n'était plus là.

Assise sur le bord du lit, elle souriait à peine, avec la bouche un peu entrouverte.

— C'est pas possible, tout ce luxe. Ça me met mal à l'aise.

— Profites-en, Marie. C'est peut-être la dernière fois que ça nous arrive. Et puis, tu auras des choses à raconter à Suzie.

Ensuite, je nous ai déshabillés et je l'ai portée dans la baignoire. Elle était dans mes bras. Marie, ma petite Marie. Si Antoine n'avait pas été là, je serais quelque part à Chartres, dans un hôtel pourri de la périphérie, à me morfondre dans ma solitude. Et là, là, j'avais la femme la plus séduisante au monde dans le creux de mon épaule, et dans un bain chaud. Ses petits tétons ressortaient de la mousse comme deux framboises au milieu d'un plat de chantilly. J'adore les framboises. Après, elle s'est amusée un moment avec la télécommande du bain bouillonnant. Je crois que j'étais en érection depuis l'ascenseur. Et elle, qui jouait à faire des grosses bulles (dans mes fesses), des petites partout, des petites et des grosses, une lumière bleue, puis rose, puis verte, puis bleue, des petites bulles, et de nouveau des grosses. Elle était comme une petite fille un soir de Noël avec son nouveau joujou, se tortillant contre les parois comme un ours contre l'écorce. Et je sentais mon phare breton, ballotté par tous ces remous, mais toujours droit dans la tempête, avec la lumière au bout, celle de mes neurones qui dansaient la samba. J'ai fini par la faire pivoter et on s'est emboîtés dans l'eau sans se quitter du regard. J'avais l'impression qu'elle essayait de voir derrière mes globes oculaires ce qu'il y avait au fond.

Elle avait de la mousse sur le bout du nez et moi dans tout le cerveau.

Quand l'eau est devenue tiède, nous nous sommes réfugiés dans les deux grands peignoirs moelleux qui chauffaient sur le radiateur. Un moment de pur bonheur. Ils étaient tellement confortables que nous les avons gardés pour faire l'amour encore une fois, sur le grand lit, en commençant par honorer le numéro de la chambre et en finissant épuisés, à trois heures du matin, tombant de sommeil et d'emballement cardiaque. Nous avons dormi dans nos peignoirs.

Après un petit déjeuner pantagruélique, nous sommes remontés dans la chambre, faire l'amour une dernière fois, sous nos quatre étoiles. C'est là qu'on a décidé d'avoir quatre enfants. Suzie était déjà là. Plus que trois.

J'ai embarqué les peignoirs en les bourrant dans son petit sac. Un appel au standard pour qu'ils les rajoutent sur la facture. Je suis comme ça. Madeleine, Madeleine ! Marie m'a demandé si je pouvais aussi prendre la baignoire télécommandée. Nous sommes descendus dans le hall. Je sentais un peu le mouton, mes habits de la veille étant les seuls dont je disposais, mais Marie ne semblait pas avoir remarqué. J'espérais que le notaire en fasse de même, mais peu importait, on ne le reverrait jamais.

Quand la réceptionniste nous a tendu la note, Marie

s'est accrochée au comptoir. J'ai cru qu'elle me refaisait le coup de la salle de bains. Elle a eu un petit rire nerveux, en cherchant son chéquier dans son sac à main. Je l'ai prise de court avec ma carte bancaire. Ça ne m'a fait ni chaud ni froid de dépenser la moitié de mon salaire pour cette nuit magique. Et encore, ils n'avaient pas compté les peignoirs. Le prix de mon honnêteté ?

Le notaire a fait son travail, sans beaucoup de fantaisie. Il a rappelé à Marie les termes de l'acceptation de l'héritage.

— Y a-t-il des conditions particulières pour l'accepter ?

— Aucune. Votre mère n'avait pas d'autre enfant, pas de mari. Vous êtes la seule à bénéficier de ce legs. Elle m'a demandé de tout vendre à sa mort et de vous remettre un chèque, que voici.

Marie tremblait en le saisissant. Elle l'a mis dans une enveloppe, qu'elle a pliée en deux pour la mettre dans une petite pochette en cuir qu'elle a enfermée dans la poche intérieure de son sac à main. C'était mignon, toutes ces précautions.

— Elle m'a aussi demandé de vous remettre cette lettre. Mais vous n'êtes pas obligée de la lire en ma présence.

Là, je me suis demandé si elle avait une crise subite de Parkinson, parce qu'elle avait du mal à rouvrir la fermeture de son sac pour y ajouter la lettre. J'ai posé ma main sur son épaule. Elle a poussé un gros soupir, comme pour se ressaisir. J'ai pris la lettre et l'ai mise moi-même dans son sac, parce que Marie ne ressaisissait rien.

En sortant, elle m'a pris la main et on a marché un peu. Quand je me suis tourné vers elle pour l'embrasser, elle pleurait en silence. J'ai serré sa main un peu plus fort, et nous sommes allés boire un café.

Avant de se rendre à la gare, elle a voulu aller déposer le chèque à sa banque, pour se sentir plus légère. Ce chèque devait peser trois tonnes à ses yeux. Ça n'a pas changé grand-chose. Il restait la lettre. Deux tonnes. Au moins, l'argent était en sécurité. C'était une fortune pour Marie. Et pour moi donc !

49

Dans le train du retour, nous avons échafaudé toutes sortes de projets pour la ferme. Est-ce qu'on allait aménager la grange du nord pour les vélos ou celle du sud ? Est-ce qu'on allait prendre un troupeau de brebis pour l'entraînement des chiens ou est-ce qu'on se contenterait des vaches ? Est-ce qu'on allait tout de suite commencer les chiens, ou plutôt la location de vélos ? Est-ce qu'il dormirait à droite ou à gauche dans le lit ? Où est-ce qu'on mettrait les enfants si on en avait trois autres ? Le petit grenier au-dessus de la fromagerie ? Ah, pourquoi pas, on pouvait faire deux chambres supplémentaires.

— Tu l'arrêtes quand ta pilule ? m'a-t-il alors demandé.

— Je ne sais pas, à la fin de ma boîte ?

— Il te reste combien ?

— Deux mois.

— Tu l'as prise ce matin ?

Miiiiiiince ! J'avais oublié d'emmener ma plaquette. J'avais préparé un petit sac pour un aller-retour et j'avais oublié ma pilule. Acte manqué. Ça répondait donc à la question d'Olivier. Et si un bébé stade morula était en train de se promener dans une de mes trompes en ce moment, ce serait un bébé de l'amour, à n'en pas douter.

Minuscule flagelle.
À l'assaut d'une forteresse.
Et dans quelques mois...

Ça m'est venu dans le train et ça a été l'occasion de lui parler de mon engouement pour les haïkus. Ces petits poèmes japonais de trois lignes. J'aimais leur sobriété, cette façon de simplifier au maximum pour aller à l'essentiel. La traite était un moment particulièrement prolifique. Je les notais sur un petit calepin criblé de crottes de mouches, que j'avais accroché au-dessus du tank à lait, et de temps en temps, le soir, je les recopiais dans un joli carnet que je m'étais offert pendant que Marjorie s'achetait son cinquante-huitième sac à main.

Après, je me suis adossée à la vitre sous ses coups de crayon. Il m'a réveillée à l'entrée en gare de Foix et m'a offert mon portrait, surmonté de ces trois lignes :

Visage endormi
Ma beauté n'est qu'en sommeil
Ô sublime nuit.

Mais qu'est-ce qu'il était allé faire dans la gendarmerie ?

— Tu m'aimeras toujours ?
— Toujours.
— Et si j'ai les seins qui tombent ?
— Je les relèverai.
— Et si j'ai de la peau d'orange sur les cuisses ?
— Je t'éplucherai.

— Et si j'oublie tout le temps où j'ai mis mes lunettes ?
— Je les chercherai.
— Et si j'ai un dentier ?
— Je ferai tremper le mien à côté du tien.
— Et si je ne peux plus marcher ?
— Je te porterai.
— Et si je deviens méchante ?
— Je te l'interdirai.
— Et si je tombe malade ?
— Je te soignerai.
— Et si je meurs avant toi ?
— Je te survivrai.

J'étais rassurée. Il m'aimait juste ce qu'il faut. Pour vivre heureux, mais ne pas souffrir le martyre de l'absence. Je ne veux pas d'un homme qui me dise qu'il ne peut pas vivre sans moi.

Quand nous sommes arrivés à la ferme, Antoine était là.

— Mais tes vaches ?
— Ne dis pas que tu ignores ma boulimie du travail.

Suzie nous a sauté au cou.

— Venez voir comme ils sont mignons !

Mignons ? De quoi parlait-elle ? Dans l'étable, Antoine avait aménagé un grand box pour les brebis en attendant mieux. Il y avait cinq petits agneaux. C'est vrai qu'ils étaient mignons. Et je venais de comprendre pourquoi Olivier avait cette odeur de mouton depuis la veille.

— Mais non, pas eux !… Venez ici, les amoureux !

Antoine avait réquisitionné un de mes box à veau pour y mettre cinq petits chiots border collie. Ça répondait à l'une de nos questions du train.

Je m'en posais mille autres. Est-ce que c'était

l'homme de ma vie ? Est-ce qu'il allait rester comme ça ? Est-ce qu'il saurait travailler à la ferme ? Est-ce qu'on allait se supporter toute la journée ? Est-ce qu'il savait faire la cuisine ? Est-ce que j'étais déjà enceinte ? Est-ce qu'il ferait un bon père ? Est-ce que…

— Tu viens, maman ?

Nous avons passé une soirée délicieuse. Expliquant à Suzie qu'Olivier ne repartirait pas, qu'il allait travailler avec moi et serait là tous les soirs. Elle a voulu qu'il lui raconte une histoire avant de s'endormir. Suzie avait une bibliothèque entière. Elle adorait ça. J'y tenais. Olivier lui raconterait les histoires qu'il n'avait jamais entendues, avec des parents trop nazes, puis une Madeleine trop pauvre.

Nous avons rangé la table, Antoine et moi. L'occasion de le remercier.

— Pour le repas ? Bah, ce n'est pas grand-chose.

— Pour Olivier.

— À vot'service, ma p'tite dame !

— Pourquoi tu as fait tout ça pour nous ?

— J'adore son p'tit cul moulé dans un cuissard de vélo.

— Arrêêête !

— Avoue qu'il eût été dommage de le laisser partir.

— Mais je ne voulais pas qu'il s'en aille…

— Alors, pourquoi tu ne l'as pas rattrapé ? Trop fière, hein ? !

— Trop conne ! Ou trop blessée ? Peur de me faire planter une troisième fois. Ma mère, Justin.

— Il est passé ce matin.

— Justin ?

— En personne.

— Qu'est-ce qu'il voulait ?

— Te voir. Sa femme l'a quitté. Il voulait sûrement voir si t'étais encore disponible.

— Et ?

— Et je crois qu'il ne reviendra jamais.

— Tu lui as dit quoi ?

— Mon poing sur la gueule. Je ne suis pas très bavard avec les types comme lui.

— Tu feras pareil avec Olivier s'il m'abandonne, lui aussi ?

— Compte sur moi.

— C'est bien que tu sois homo.

— Ah bon ? Tu trouves ?

— Sinon, tu serais encore dans ton Cantal natal.

— Il a quand même un beau p'tit cul, non ? !

Ça oui. Mais la semaine qui a suivi, c'est plutôt lui qui a regardé le mien. J'avais monté son carton de carnets à dessin dans la chambre, et tous les soirs, j'en feuilletais deux ou trois, absorbée par ses œuvres, tel le spéléologue qui découvre Lascaux, en mode libido cérébrale. La sienne étant plus basique, il me faisait toutes sortes de choses. Tant que je pouvais continuer à feuilleter…

Aaaah, il était là. Ses épaules larges, son regard tendre, ses mains douces, ses dessins splendides, son p'tit cul moulé, et peut-être vingt-trois de ses chromosomes dans mon petit ventre…

50

Trois semaines après notre retour à la ferme, Marie m'entraînait dans son endroit préféré. Un petit replat en haut du champ derrière la ferme, en bordure de forêt, encadré par deux grands rochers. On y voit toute l'exploitation, les montagnes alentours, et une bonne partie du village. Et puis, là-bas, au fond, un coin du toit de la ferme d'Antoine. Marie adore cet endroit. Elle l'appelle l'observatoire. C'est de là que j'avais dessiné *Le Complot*.

— Viens, il est temps que je l'ouvre, cette lettre, non ?

— Tu veux que je sois là ?

— Bien sûr, comme dit Antoine, quand on s'aime, on partage tout : les joies, les peines, les dettes et les héritages. Tu ne veux quand même pas l'argent du beurre sans les larmes de la crémière ? !

— Tu n'es pas obligée de pleurer.

— C'est vrai. Tu vas me la lire. Comme ça, je pourrai fermer ma bouche et y garder mes larmes.

Je l'ai prise dans mes bras, comme dans la baignoire de l'hôtel quatre étoiles, les bulles en moins, mais le grand air en plus. Il m'en a fallu de l'air, pour la lire, cette lettre qui pesait deux tonnes.

Ma chère Marie,

Comment te dire...

Tu vois, je ne sais pas par où commencer. Toute une vie à penser à toi et quelques lignes pour l'exprimer. Tu dois m'en vouloir, avoir le sentiment que je t'ai abandonnée. C'est vrai, je suis partie. Tu étais si petite et je suis partie. Par lâcheté. Quand je suis tombée enceinte de toi, je savais déjà qu'avec ton père, ça ne durerait pas. On ne s'aimait pas. Pas comme un couple normal. Et puis, j'étais fragile. Mentalement.

Quand tu es née, j'ai sombré. Dépression post-partum sévère. J'ai été hospitalisée plusieurs mois. Ton père était en déplacements permanents et ce sont ses parents qui t'ont prise en charge. Les médecins ont fini par me laisser sortir, me pensant sur la bonne pente. Mais je n'ai pas pu revenir. Cela me semblait insurmontable de t'éduquer seule. Je me sentais idiote, incapable, trop nulle pour être mère. J'ai préféré t'épargner ma médiocrité. Tes grands-parents semblaient si bien t'élever. J'ai toujours eu des nouvelles de toi. Mon amie du village, Jacqueline, m'en a donné régulièrement, tu sais, la femme du boulanger. Quand son fils a pris la suite, elle a continué à servir, à causer avec tout le monde. Elle me parlait de toi comme d'une petite fille solide, débrouillarde, joyeuse, qui semblait heureuse avec ses grands-parents. Et plus le temps a passé, plus il m'est devenu difficile de revenir. Je l'ai regretté toute ma vie. Je t'ai aimée dès le premier instant, d'un amour plus fort que l'amour, qui m'a fait partir, pour t'épargner ma fragilité et mes doutes. Et j'ai continué de t'aimer. Je voulais te le dire.

J'ai autre chose d'important à te dire, de la part de mon médecin. Ta grand-mère est morte il y a plus de dix ans, d'un cancer du sein. Moi-même, je suis en phase terminale. Le médecin me parle maintenant d'un mois ou deux. Il m'a demandé si j'avais une fille, pour lui dire que ce cancer était génétique et que la meilleure prévention était d'enlever les deux seins avant quarante ans, pour ne pas lui laisser le temps de se déclarer. L'idéal serait de consulter.

Voilà, ça aussi, j'avais besoin de te le dire, pour que tu consultes un cancérologue.

J'espère que cet argent te permettra de réaliser tes rêves.

J'aurais préféré ne te laisser que ça en héritage.

J'ai replié le papier et je n'ai rien dit. Si elle n'avait pas fait la fière, à faire semblant d'être heureuse sans sa mère, elle l'aurait peut-être été vraiment avec. De quoi se traîner une bonne dose de culpabilité. Mais de toute façon, c'était trop tard. Et quand c'est trop tard, on culpabilise encore plus. Parce que c'est trop tard. L'être humain est tordu.

— Les regrets ne servent à rien, n'est-ce pas ? m'a-t-elle demandé.

— Je ne crois pas, non. Sauf d'expérience.

— Tu vois, ma mère m'a laissé cent cinquante mille euros et quatre-vingts pour cent de risques de mourir d'un cancer du sein. À choisir, j'aurais préféré ne rien avoir d'elle. Il faudrait que je me fasse enlever les deux seins pour être tranquille. T'en penses quoi ?

J'ai passé mes mains sous son tee-shirt pour réfléchir à la question.

— J'en pense qu'ils sont plus tendus que d'habitude.

— Je sais. Et dans neuf mois, ils seront pleins de lait.

C'était une drôle de façon de m'annoncer sa grossesse, après avoir lu la lettre de sa mère morte.

Mais, les enfants, c'est la vie.

La réjouissance n'a pas été le premier mot qui m'est venu à l'esprit quand elle me l'a annoncée. J'avais besoin de temps, de digestion, de malaxage de mon histoire pour que mon bout de pâte à modeler ressemble à autre chose qu'à *Guernica*. J'étais déjà un peu responsable de ma relation avec Marie. Là, j'allais devenir responsable d'un nouvel être dont j'avais participé à la construction. Quand durant votre petite enfance, on vous a martelé que vous n'étiez qu'une merde, il est difficile de se dire qu'on sera autre chose. Alors, une merde responsable ? !... Vous avez beau avoir lu tous les livres de Françoise Dolto, connaître la théorie sur le bout des doigts, il y a une force au fond de vous qui vous pousse à agir en fonction de ce que vous êtes, pas de ce que vous savez. Oui, Marie me redonnait des couleurs, de la confiance en moi. Mais qui me certifiait que son baume agissait en profondeur ? Les dangereux psychopathes, les tueurs en série ont parfois un visage d'ange.

Marie ne se faisait pas de soucis et me le répétait des centaines de fois, comme on dit à un enfant de ranger ses chaussures. « Tu seras un bon père. » J'ai fini par la croire et j'ai vu ma joie gonfler au rythme de son ventre.

C'est bizarre. Après avoir lu la lettre de sa défunte mère, je pensais qu'elle pleurerait, qu'elle parlerait longuement d'elle, qu'elle regretterait de ne pas avoir cherché à la revoir. Mais rien. Pas un mot. Elle avait tourné la page. Peut-être parce qu'elle savait qu'en entrouvrant la porte au chagrin, c'est un flot de regrets amers qui s'engouffrerait, l'asphyxiant et la privant de toute légèreté pour l'avenir. Ou alors, elle faisait fi de toute existence maternelle pour oublier le cadeau empoisonné dont ses gènes pouvaient être porteurs.

Non, en bonne chef d'entreprise, elle m'a parlé de la gestion de cet argent. Ce qu'il me faudrait pour mes investissements, ce que nous ferions du reste. Elle n'a rien voulu dépenser inutilement. En dehors de la baignoire Jacuzzi qui, pour elle, était devenue une nécessité, tant pour ses muscles tétanisés par les fromages que pour entretenir le souvenir de notre nuit d'étoiles. Devoir de mémoire, elle disait.

Il m'a fallu du temps pour m'adapter au travail de la ferme. Adieu RTT, trente-cinq heures et grasses matinées. Je la trouvais un peu excessive quand elle râlait sur la condition paysanne. J'ai compris. Nous avions un avantage, celui d'être semi-sauvages, en regard des autres. Nul besoin de sortir le soir ou de partir en vacances pour être heureux. Vivre au rythme des saisons, s'organiser selon ses besoins, et parfois ses envies, est un luxe qu'aucun argent ne peut acquérir.

51

On ne peut jamais tout dire à son meilleur ami. Ou alors, pas tout de suite. Pour le protéger. Pour se préserver, en niant la vile réalité.

Ce que j'ai gardé au fond de moi si longtemps, je ne l'ai jamais dit à Antoine. J'ai déguisé la vérité pour la rendre moins douloureuse, moins grave à ses yeux. Je savais qu'en l'apprenant, il deviendrait fou, avec toutes les conséquences que cela pourrait engendrer. Il était doux, tendre, sensible, mais incapable d'admettre certains faits. Je le savais.

Mais je sentais que cette vérité cachée finirait par ressurgir comme un torrent de montagne. On se promène sur le glacier, au soleil, l'air frais de l'altitude, les beaux paysages, et en dessous, ça gronde, ça creuse, ça serpente, ça charrie des pierres et des morceaux de glace, saillants comme des couteaux.

Je me doutais aussi qu'en rabrouant impétueusement Olivier de cette manière mensuelle et prévisible, il allait vouloir comprendre. Maintenant qu'il vivait avec moi, que nous partagions toutes nos nuits, il éprouvait probablement le besoin de mieux m'accompagner.

Je ne supportais pas qu'il me touche pendant mes règles. Il l'a d'autant plus remarqué que, depuis que j'étais enceinte, ces moments de rejet avaient disparu.

Un soir, il m'a demandé calmement de lui expliquer.

— Marie, je sens bien qu'il se passe quelque chose. Qu'une fois par mois, tu aies mal aux seins, ou au ventre parce que les hormones te travaillent, je peux admettre, mais que tu ne supportes même pas le contact de ma main sur ton bras, mes baisers dans le cou, j'ai besoin de comprendre.

Tu ne peux plus fuir, Marie. La cavale est finie. Il te tend la bassine, vomis donc cette vérité qui te reste sur l'estomac depuis toutes ces années. C'est pénible sur le moment, mais on se sent mieux après.

Il me tenait dans ses bras. Nous étions seuls à la ferme. Suzie dormait chez Antoine. Le moment idéal pour cracher le morceau.

J'ai mis du temps à sortir un son de ma bouche. Mais il patientait, en me caressant la joue. Et lui, qu'allait-il dire ? Ne deviendrait-il pas fou de rage comme je le supposais avec Antoine ?

— Allez, Marie, dis-moi qui t'a fait du mal.

— Justin.

C'est Justin qui m'avait fait du mal. Ce jour-là, quand j'ai appelé pour signaler ma vache en chaleur, je me suis dit que nous allions parler autour d'un café, utiliser le peu de temps qu'il avait pour faire autre chose que l'amour, devenu un rituel presque mécanique et planifié. Quand il est arrivé, il s'est jeté sur moi, comme les autres fois, en soulevant mon tee-shirt et en passant sa main dans mon pantalon.

— Arrête, Justin, pas aujourd'hui.

— Ben pourquoi ? Tu ne m'aimes plus ?

— Si, mais pas aujourd'hui. On n'est pas obligés de le faire à chaque fois…

— Mais moi, j'ai envie !

— Moi, je n'ai pas envie. Pas aujourd'hui, lui ai-je

dit un peu plus fort, sentant ses gestes plus insistants.

— Allez, détends-toi un peu.

— Justin, j'ai mes règles. Je ne veux pas faire ça pendant mes règles.

— Ah, c'est ça ? Mais c'est pas grave, ça glisse mieux pendant les règles, tu verras…

— Non, Justin !

Je ne voulais pas et je me suis laissé faire. J'avais peur qu'il ne revienne jamais. Je croyais que c'était moi qui n'étais pas normale de me refuser à lui pendant mes règles, et pourtant ça me faisait horreur. Il m'a couchée par terre, sur le carrelage de la cuisine, a fait sa petite affaire sans voir que je pleurais en silence. Il se foutait sûrement d'avoir quelques taches de sang sur son pantalon, il pourrait toujours dire que ça venait d'une vache. Et moi, j'avais l'impression d'en être une. De celles qu'on trifouille sans état d'âme. Et puis, il s'est relevé, s'est dirigé vers l'évier pour se nettoyer minutieusement avec un essuie-tout. Je suis partie m'enfermer dans les toilettes, d'où je l'ai entendu me lancer qu'il fallait qu'il y aille, la journée était chargée.

— Tu vois, ce n'était pas si mal ?

Et il est parti.

Quand je suis sortie des toilettes, je suis montée prendre une douche. En larmes. J'ai mis du savon sur le bout de mes doigts et je suis allée dans mon vagin pour essayer de nettoyer le maximum de ses traces. Je me sentais sale, honteuse. Autant d'avoir du sang partout que de m'être laissé faire. Qu'est-ce qui pousse l'être humain à faire des choses contre sa volonté ? La peur. Le dévouement. La lâcheté. D'où vient ce sentiment de se croire amoureux, alors que l'autre n'est qu'une image de ce qu'on aimerait aimer. Une image.

On aime aimer. Pas toujours celui qui endosse le rôle. Je n'ai jamais compris pourquoi mes fusibles n'ont pas sauté quand j'ai commencé à prendre conscience qu'il ne venait que pour baiser, qu'il n'avait pas tant de conversation que cela, que la tendresse était aussi inconnue pour lui que le savon pour un cochon. Alors quoi, j'étais tellement désespérée que je me suis jetée dans ses bras comme on saute d'une falaise ?

Probablement, parce que je me suis violemment écrasée au pied de cette putain de falaise, la tache de sang en témoignait. En redescendant, je l'ai nettoyée et j'ai refermé la parenthèse. Pas la plaie. Mettez des planches sur un puits, puis des parpaings, trois épaisseurs, du ciment bien solide et de la terre avec des petites fleurs dessus, il n'en est pas moins là, profond, humide et froid.

Je pensais qu'il viendrait s'excuser, que la fois suivante, il serait désolé, plus doux, plus tendre, que j'allais oublier ce moment.

T'es trop conne, Marie.

Je ne l'ai jamais revu. Et j'ai compris qu'il avait demandé son changement de secteur avant de venir ce jour-là à la ferme. Il voulait tirer un coup une dernière fois quoi qu'il arrive. Il y avait donc préméditation.

— Pourquoi tu ne l'as pas dit à Antoine ?

— Parce qu'il l'aurait massacré. Tu sais bien ce qu'on fait ensuite des meurtriers.

— Pourquoi tu n'es pas allée porter plainte ?

— Porter plainte ? C'était mon amant ! Qui m'aurait cru si j'étais arrivée la bouche en cœur en déclarant que je m'étais faite abuser par mon amant ? C'est comme les prostituées, les sales types pensent qu'ils ont tous les droits sur elles parce que c'est leur métier, non ?

— Ben, non.

— On consent neuf fois, et la dixième c'est un viol ? Je n'y croyais pas. De toute façon, c'est trop tard.

— Il n'est jamais trop tard, et ça fait partie du processus de réparation.

52

Trois jours plus tard, Annie se garait dans la cour de la ferme, tenue bleue de la gendarmerie, ordinateur portable en main.

— Salut, Annie. Merci d'avoir fait le déplacement. Elle ne serait pas allée jusqu'à la brigade.

— C'est normal. T'as fait du bon boulot pour les femmes quand tu étais à Toulouse. Et maintenant, tu bosses où ?

— Ici !

— Ici ? À la ferme ?

— Changement de vie. Cap à tribord.

— Tu sembles aller mieux.

— Mieux ?

— Détendu. Ça me fait plaisir.

— Et toi ?

— Toujours pareil. Tu sais, les violences faites aux femmes, c'est un secteur qui ne connaît pas la crise.

Annie était le seul collègue pour qui j'avais de la sympathie. Elle bossait dans la gendarmerie qui centralisait plus spécialement les actes de violences envers les femmes. J'orientais régulièrement les victimes vers elle, parce qu'elle savait les écouter. Pas moi. Et puis, j'étais un homme. Entre femmes, les confidences se font peut-être plus évidentes.

À notre première rencontre, durant une journée de sensibilisation à la prise en charge des victimes d'agressions sexuelles qu'elle nous avait proposée en interne, tant elle avait creusé le sujet, je lui avais posé quelques questions en aparté autour de la machine à café. Avant de reprendre, elle m'avait fait remarquer que je dégageais une énergie négative et que ce n'était en rien rédhibitoire, du moins pour certains, tentant probablement de m'inciter à faire un travail sur moi pour améliorer mon relationnel. Ça sautait tellement aux yeux ou c'était elle qui jouissait d'une clairvoyance exceptionnelle ? « Il existe deux sortes d'antipathiques. Ceux qui n'ont rien dans le chou-fleur et qui oublient la nécessité d'une interaction positive entre individus d'une même société pour faire vivre et croître ladite société, associant par voie de fait à l'antipathie l'égoïsme et le narcissisme, et ceux qui ont souffert et qui se protègent de cette fameuse société, en considérant que, loin d'elle, ils seront moins mal, que, sans eux, elle sera plus prospère et plus équilibrée, associant dans ce cas à l'antipathie une sensibilité et une timidité presque maladive, tentant généralement de s'évader et de compenser l'absence de relation sociale par une fuite artistique, musique, peinture, ou un profond besoin de communion avec la nature, le tout, généralement complété par un quotient intellectuel très élevé, expliquant en partie ce comportement de repli instinctif, mais productif et riche, ce qui en fait des êtres passionnants contrairement aux choux-fleurs, mais inaccessibles, donc solitaires. »

Je devais avoir des yeux de hareng saur à la fin de sa phrase, parce que j'en étais encore au milieu. La compréhension en retard sur le son, comme les mauvais duplex télévisés du bout du monde. « Vous devez faire partie de la deuxième catégorie. Ça se voit dans vos yeux. »

Elle lisait donc sur le visage des gens comme les doigts d'un aveugle sur un livre en braille. J'ai gardé mon front plissé, mais je me suis senti compris. Et nous avons souvent collaboré.

J'ai suggéré à Marie qu'elles montent dans la chambre à coucher pour l'entretien, afin d'être vraiment tranquilles. Je ferais barrière de mon corps à quiconque tenterait d'entrer dans la maison.

Au diable, veau, vache, cochon, couvée,
Inséminateur et contrôleur laitier,
Je ferais même barrage aux araignées,
Pour que Marie puisse se confier.

Mince, ça devenait contagieux. À croire que ce fond de vallée inspirait des pensées lyriques à ses habitants. Marie avec ses haïkus, Antoine et ses alexandrins, et Suzie… Suzie était un poème à elle toute seule.

En redescendant, Marie avait les yeux rouges et un sourire de travers. Celui qui traduit l'échec d'un soulagement absolu, parce qu'il serait difficile de l'atteindre, mais celui du devoir accompli, du poids dont la montgolfière s'est délestée pour aller un peu plus haut.

Annie est partie en m'embrassant et en me glissant à l'oreille que Marie Berger devait être un bon antidote à l'antipathie…

53

Antoine me fait peur. Quand il est pressé, j'ai toujours l'impression qu'il saute de sa voiture alors qu'elle est encore en marche, allant finir sa course dans l'étable au milieu des vaches.

— Qu'est-ce que les gendarmes sont venus faire ? nous a-t-il demandé avec inquiétude.

Il venait de croiser la voiture.

— UNE gendarme, pour m'aider à cicatriser.

— À cicatriser de quoi ? De Justin ? Tu as besoin des gendarmes pour cicatriser de ce connard ?

— J'ai porté plainte.

— Porté plainte ? Pourquoi ?

— Assieds-toi, je vais t'expliquer.

Antoine est ressorti quelques instants plus tard, jurant comme un charretier, pour reprendre sa voiture et aller probablement lui démonter la tête.

— Putain ! Qu'est-ce que j'ai fait de mes clés ? a-t-il juré un peu plus fort.

— C'est moi qui les ai, a dit calmement Olivier. Pour t'empêcher d'aller faire une connerie.

— Fous-moi la paix, je sais ce que j'ai à faire.

— Marie a plus besoin de toi, ici, de l'autre côté du coteau que dans une cellule de la prison de Toulouse. Allez, viens boire un café et laisse faire la justice.

Antoine s'est affalé dans le canapé, a pris sa tête entre ses mains et s'est mis à pleurer comme un gamin. Cette image restera toute ma vie gravée dans le fond de ma rétine. C'étaient mes larmes qui coulaient sur ses joues. Il partageait tant ma blessure qu'il en était ébranlé. Cent dix kilos d'empathie. Juste pour moi. Mieux que du colostrum pour soigner une plaie. Il m'a toujours dit qu'il me soutenait, qu'il serait toujours là pour moi. Son chagrin en était la preuve irréfutable.

C'est le moment qu'a choisi mon bébé pour donner son premier coup de pied.

J'ai pensé à Marjorie et ses aliens.

J'ai pensé à Antoine qui n'était pas le père, cette fois-ci. Mais qui était un ami. Un vrai de vrai. Le plus beau, le plus fort, le plus grand, le plus sensible.

J'ai pensé à Justin. Qu'il aille au diable.

J'ai surtout pensé à Olivier qui avait organisé le remblai de mon puits, en préservant les petites fleurs au-dessus.

Notre deuxième étoile commençait à briller.

54

L'accouchement fut mémorable.

Tout était organisé. Nous devions déposer Suzie en passant au village, chez sa copine Gaëlle, et préviendrions Antoine une fois là-bas. Il ne voulait quand même pas couper le cordon, mais de nous accompagner un peu lui tenait à cœur. Marie ne voulait pas se rendre immédiatement à la maternité et saurait trouver le bon moment, d'après elle. Il n'aurait tenu qu'à moi, je nous prenais une chambre d'hôtel en face de l'hôpital, pour la dernière semaine de grossesse.

— Arrête donc de t'inquiéter. Tout va bien se passer. J'ai l'habitude des accouchements. J'en vois un par semaine.

— Enfin quand même, ce sont des vaches !

— Nous restons des mammifères ! Évolués, paraît-il. Mais des mammifères quand même. De toute façon, quand ça se passe vite, c'est que ça se passe bien.

C'était sans compter avec le moteur de notre voiture qui a eu le mauvais goût de nous lâcher avant même d'avoir démarré. Sûrement la batterie. Nom de Dieu de bon Dieu de meeeerde ! J'engueulais le volant. Comme s'il avait pu comprendre. La panique rend bête. Après le douzième tour de clé sur le contact, sans succès – la panique rend vraiment bête –, Marie, très calme au demeurant, m'a suggéré de trouver un autre moyen de transport. On n'allait quand même pas y aller en tracteur. J'ai appelé Antoine.

Il est arrivé une demi-heure après. Quand nous avons entendu le bruit de sa bétaillère, j'ai regardé Marie avec de grands yeux. Elle rigolait. Sauf pendant les contractions. Moi, pas du tout, mais alors pas du tout, même en dehors.

— Bon sang, mais qu'est-ce que t'as foutu ? ! Et pourquoi tu viens en bétaillère ?

— J'ai planté ma voiture sur le muret de ma cour. J'ai voulu aller trop vite, et voilà. L'essieu avant est défoncé.

Marie, toujours aussi calme, nous a fait remarquer qu'il n'y avait pas lieu de s'inquiéter autant et qu'elle sentait bien que nous aurions le temps d'arriver. Après, elle nous a demandé si elle devait prendre le volant.

Antoine a garé la bétaillère n'importe comment sur le parking de la maternité. De toute façon, les places étaient trop étroites.

Marie commençait vraiment à dérouiller. Toutes les deux minutes. Les suspensions d'une bétaillère sont d'une terrible incompatibilité avec un utérus en travail.

Nous avons ensuite relié nos bras pour porter Marie en position assise. C'est là qu'elle a choisi de rompre sa poche. Il y avait un petit filet de liquide qui nous suivait sur le macadam du parking, comme une voiture qui perd de l'huile. Antoine a dû avoir la même pensée, disant à Marie qu'elle devrait songer à changer son carter. Marie aimait rire, même dans ce genre de moment. Nous sommes donc arrivés à la porte de la salle d'accouchement avec une femme dans nos bras, qui se tordait de douleur à chaque contraction, et de rire dans chaque intervalle libre, et un petit filet sur le revêtement de sol. La sage-femme l'a installée dans un fauteuil roulant et nous a dit que seul le papa était admis pour l'accouchement.

Antoine s'est donc engagé en même temps que moi et nous nous sommes cognés dans l'encadrement de la porte. Je l'ai regardé un peu étonné. Il lui suffisait d'une fois pour intégrer un réflexe pavlovien ? Ou alors, était-ce un désir caché qui s'exprimait au grand jour, par un acte manqué ? Avec Marie qui riait toujours autant, la sage-femme m'a regardé bizarrement. Mélange de questionnement, de dépit et de mépris. Antipathique au possible. J'ai pensé à Annie et à sa théorie du chou-fleur.

Voilà, nous étions donc classés dans la catégorie « farfelus », d'autant plus si l'équipe nous avait vu arriver en bétaillère sur le parking.

L'accouchement en lui-même s'était bien passé, en dehors d'une moue renfrognée de la sage-femme. Marie et moi étions heureux. Nous l'avons appelé Joseph, comme son grand-père.

Cordon ombilical de taille normale.

Chouette !

Je n'ai même pas eu l'once d'un début d'envie d'exposer ma théorie des cordons à la sage-femme. Moins elle était là, mieux je me sentais. Moi qui avais quitté ce côté obscur de l'antipathie. Par contre, je ne savais toujours pas si elle appartenait à la catégorie des choux-fleurs ou à celle des surdoués bucolico-artistiques.

Avec leur règle débile de visite, j'ai dû sortir pour laisser Antoine venir voir Marie et Joseph. Il est ressorti rapidement. La sage-femme avait des choses à faire…

— Tu n'as pas l'impression de l'avoir déjà vue quelque part ? m'a-t-il demandé en ressortant.

— Non, je ne vois pas.

— Rah, je suis sûr de l'avoir déjà vue, mais où ? !
— Pour Suzie ?
— Non, non, la sage-femme pour Suzie était un amour. Bon, je vais boire un café, je reviendrai vous voir quand elle sera dans sa chambre.
Marie parlait déjà de rentrer. Pour Suzie, pour ses vaches, pour tout le monde, pour sa tranquillité et ses montagnes. Moi, je voulais le meilleur pour eux, en supposant que le meilleur était ici.
Quand Antoine est réapparu, il avait la réponse à sa question.
— Je sais où je l'ai déjà vue. Elle est tête de liste Front national aux régionales, sur toutes les affiches de la ville. Une sage-femme tête de liste Front national. Il n'y aurait pas conflit d'intérêt ? Non, mais je rêve.
Appartenant à l'une des minorités visibles souvent persécutées, il avait à cœur de défendre toutes les autres.
Nous en parlions quand elle est revenue pour quelques papiers. Marie lui a demandé la procédure pour rentrer à la maison.
— Déjà ? ! Mais vous venez seulement d'accoucher. C'est dangereux, vous savez ?
— Je sais. Mais je suis bien entourée.
— Je vois, a-t-elle répondu d'un air pincé en nous regardant l'un après l'autre.
C'est sûr que nous n'étions que vaguement crédibles au volant de notre bétaillère.
— Normalement, ce n'est autorisé qu'au bout de vingt-quatre heures au minimum.
— Et sinon ?
— Sinon, il faut signer une décharge.
— Vous pouvez préparer les papiers ?
— Il ne faudra pas venir pleurer si les choses tournent mal.
Scrogneugneu.

Je n'étais pas très chaud pour laisser Marie remonter si vite, mais quand elle avait quelque chose en tête, même les meilleurs diplomates du monde ne lui auraient pas fait changer d'avis. La condition *sine qua non* fut de trouver un véhicule médicalisé avec un siège pour bébé. Qu'à cela ne tienne…

Quand la sage-femme est entrée une nouvelle fois dans la chambre, sans frapper – tant qu'à être désagréable, autant l'être complètement –, elle nous apportait les papiers de sortie, ordonnance et autre livret de famille. Antoine n'a pas pu s'empêcher :

— Dites-moi, je vous ai vue un peu partout sur les affiches, en ville. En tête de liste Front national. Ce n'est pas une erreur ?

— Non, monsieur.

— Mais, éclairez ma lanterne. Je ne suis qu'un pauvre bouseux, qui en plus est homosexuel, émigré du lointain Cantal, et puis, je n'ai pas beaucoup de jugeote, à en croire votre grand gourou, qui déclarait en 1984 que l'homosexualité était une « anomalie biologique et sociale ».

— Et donc ?

— Donc, je me demande comment vous faites votre travail en étant tête de liste Front national. Je veux dire, les patientes un peu basanées, ou carrément noires, vous leur refusez la péridurale ? Ou bien ?

— Pourquoi donc ?

— Qu'elles souffrent un peu plus, je ne sais pas…

— C'est ridicule, monsieur !

— Et les femmes en situation irrégulière, elles accouchent dans le charter ?

— Tout ceci est déplacé. Je fais mon travail consciencieusement.

— Ah pardon, je croyais qu'il fallait beaucoup

d'humanité pour accompagner les femmes et accueillir la vie consciencieusement.

— Vous supposez que j'en manque ?

— Je suppose que les thèses du Front national manquent d'humanité, oui. Sur ce, l'« anomalie biologique et sociale » vous laisse à votre consciencieux travail.

Elle est partie, un peu pâle, le visage inexpressif.

Comme un chou-fleur.

En fin d'après-midi, nous étions à la ferme, Suzie aux petits soins pour son petit frère, Antoine et moi, aux petits soins pour les vaches, et le docteur du village aux petits soins pour Marie.

Il y a dix-huit mois, j'arrivais en Ariège, sans grande motivation, plongé dans mes cahiers de dessin, sans espoir d'un miracle, et je suis tombé sur un distributeur, un nid, une mine à ciel ouvert où il suffit de se baisser pour ramasser de la poussière. D'étoiles !

55

La tendance naturelle de coller aux clichés et aux lieux communs aurait pu engendrer l'idée qu'Olivier, ancien flic, vingt ans de carrière, serait doté d'une autorité naturelle avec ses enfants.

Il n'en a aucune. Même pas un semblant de début de haussement de voix possible. Et ce n'est pas parce que Suzie n'est pas sa fille biologique, je sens qu'il est semblable avec Joseph, qui, depuis qu'il se déplace, a commencé les bêtises, sous les yeux attendris de son père. Il a heureusement conscience du danger et l'empêche de s'électrocuter, de se noyer, ou de se faire piétiner par une vache. Mais sans jamais dire non, ni gronder ou interdire. Il détourne l'attention. Excellemment. C'est même tout un art. Mais ça ne leur apprend pas les règles.

Je ne lui en ai jamais parlé. Je me fiche de l'image théorique du père autoritaire, qui doit séparer la mère de ses enfants et doit imposer des règles et faire respecter la loi. Parce que je sais d'où vient cette carence. Il a trop peur de reproduire. Il ne connaît de l'autorité que son versant le plus sadique. Quand je me fâche contre Suzie, il s'en va. Il ne supporte pas. Qui pourrait lui jeter la pierre ?

Alors, je le laisse être ce père étonnant, qui passe son temps à jouer avec Suzie et à câliner Joseph, qui leur lit au moins trois histoires chaque soir, dessine avec la grande et joue à cache-cache avec le petit. Un papa poule, comme on dit.

Et moi, je fais la police de temps en temps. Le poulet, en quelque sorte !

Il ne parle pas souvent de son enfance. Un homme, un vrai. Qui n'est pas du genre à sortir ses casseroles au grand jour pour les faire tintinnabuler devant tout le monde. Enfin, quand même. Je ne suis pas tout le monde.

— Tu n'es pas sa psy, non plus, me dit Antoine.

— Toi, tu es bien le mien.

— Parce que tu l'as choisi. S'il choisit de ne rien dire, tu ne peux pas lui en vouloir.

— Mais ça l'aiderait peut-être de tout cracher. Moi, je lui ai parlé de Justin, et il m'a aidé à digérer.

— Tu es une femme.

— Et alors ? Les femmes crachent mieux que les hommes ? C'est nouveau ? !

— Les femmes ont besoin de se confier. Les hommes, non. Pas tous, du moins. Il a l'air malheureux ?

— Non.

— Et toi, tu es malheureuse ?

— Non.

— Alors, qu'est-ce que vous avez toujours à chercher la petite bête ? Fiche-lui la paix ! Les enfants et toi devez être son meilleur traitement.

Bon. Si Antoine le dit. Avec les années, je ne me pose plus la question de savoir s'il a raison ou non. C'est devenu une évidence. Il a cette qualité de vivre dans un corps et un cerveau d'homme et d'avoir développé la sensibilité d'une femme. Un savant mélange des genres qui le rend clairvoyant et d'une grande intelligence émotionnelle.

Antoine m'a donné Suzie, m'a prédit que je tomberais amoureuse de ce flic antipathique, m'a presque jeté dans ses bras, en a souffert, puis nous a rafistolés, quand j'ai été assez bête pour risquer de le perdre. Il m'a toujours aidée à la ferme quand je n'y arrivais plus, relevé les bras quand je les baissais, il me fiche un coup de pied au derrière quand j'en ai besoin et me prend dans ses bras quand il s'agit de réconfort. Il trouve toujours une solution à tout, que le problème soit d'ordre mécanique, animalier ou psychique, il partage nos joies et nos peines, nos rires et nos révoltes. Il semble surtout bien parti pour continuer à veiller sur nous comme une louve sur ses petits, parce que, dit-il, « de toute façon, vous ne pouvez pas vous passer de moi, de ma conscience suprême, de ma science infuse, de mon intelligence hors pair et de ma bétaillère ».

Trente ans plus tard…

56

Il fait bon ce matin. Le printemps arrive. Les hirondelles déboulent en rase-mottes dans la cour. J'ai eu du mal à monter aujourd'hui. Mes hanches me travaillent. J'ai dû trop faire l'amour avec Marie. Arthrose réactionnelle. À soixante-dix ans, ce sont des choses qui arrivent. Depuis mon petit observatoire, je rêve les yeux ouverts, en regardant la ferme en bas. Qu'elle prépare le repas, des légumes du jardin, les premiers de l'année, avec un poulet fermier, un morceau de fromage sur son pain encore chaud et la brioche qui lève sur le coin du buffet.

Je peux toujours rêver…

Ça m'arrive, de temps en temps, depuis qu'elle est partie, de revoir nos tranches de vie et de les savourer comme sa brioche, à en avoir mal au ventre quand j'en abuse. Cette brioche-là est pourtant cuite et recuite, refroidie depuis des années, mais toujours chaude à mon cœur.

Surtout la constitution de notre galaxie, faite de lumière et de trous noirs.

Non contente de continuer à travailler malgré sa nouvelle grossesse, Marie mettait un point d'honneur à emmener Joseph partout où elle pouvait. Porté dans une sorte de bout de tissu, sur le dos, il suivait le mouvement. En dehors du tracteur, elle a poursuivi son travail ainsi, un nouveau bébé dans son ventre rond, et le petit dans son dos. J'avais beau l'aider, elle voulait faire elle-même. Il paraît que c'était mieux fait.

Gnagnagna.

C'était sa période chameau, version Picasso. Et moi, j'adorais ça.

Quelques mois plus tard, Zoé nous rejoignait, nouvelle étoile à notre mini galaxie. Pas de batteries à plat, de transports épiques en bétaillère et de sage-femme chou-fleur pour cet accouchement. Marie a voulu donner naissance à la maison. Aidée d'une sage-femme libérale, accompagnée du médecin du village. Elle était d'accord de partir très vite au moindre clignotant d'alarme. J'avais au moins obtenu ça. Grande victoire sur sa détermination. Les grossesses ne lui enlevaient pas son caractère de cochon. L'accentuation était plutôt la règle.

Elle avait raison, tout s'est passé vite et bien.

Bien sûr, elle a allaité. Comme Suzie et comme Joseph. Elle qui ne jurait que par le colostrum de ses vaches pour tout soigner, son lait était encore meilleur. Bien sûr. C'est vrai qu'il était bon ! Quand je lui faisais l'amour, ses seins perlaient, et ma langue se précipitait.

Avant chaque tétée, elle se les caressait pour savoir leur degré de remplissage. Non par déformation professionnelle, mais par étourderie. Elle oubliait toujours lequel elle avait donné à la tétée précédente.

— Je ne les caresse pas, je les tâte…

Elle tâtait ses tétons, et mon titi se tendait ! Car elle était toujours aussi attirante, malgré ses vergetures en lignes parallèles sur le ventre, ses seins un peu moins ronds, soumis, comme les fesses de sa copine, à la loi de Newton, et son derrière un peu moins ferme, d'avoir stocké, déstocké, restocké des réserves autour des naissances.

Deux ans après, elle était à nouveau enceinte. Avec l'expérience, j'avais appris à être fou de joie dès l'annonce. Elle a un peu levé le pied. C'était notre quatrième étoile, et elle est partie directement dans le ciel. Deux semaines avant l'accouchement, un matin, elle l'avait senti moins bouger, l'après-midi plus du tout. Mort *in utero*. Mort dans l'âme. Nous l'avons prénommé Uriel, comme l'ange. À la maternité, ils nous ont justement proposé de le mettre dans le carré des anges, au cimetière de la ville, un endroit réservé pour les bébés mort-nés. Elle les a regardés comme s'ils parlaient le biélorusse. Comment aurions-nous pu le laisser là ? On a pris une petite concession dans le cimetière en haut du village, pas loin de la tombe de ses grands-parents. Par les champs et la forêt, on y était en vingt minutes pour descendre. Quarante-cinq pour remonter. Elle s'y est rendue tous les jours pendant six mois, avec les enfants. C'était leur petite promenade de l'après-midi.

Marie a mis deux ans pour commencer à s'en remettre. Quoique, on ne s'en remet jamais. On se relève, mais on reste marqué par la chute. On boite. Disons qu'elle arrivait à en parler sans pleurer. C'était déjà une grande étape. Nous avons pensé à Madeleine. Pauvre Madeleine. Marie a écrit des haïkus à longueur de temps. Des tristes, des émouvants, des déchirants.

Et puis, la vie est revenue, plus intense encore. Les poèmes se sont faits plus légers. Cette épreuve nous faisait goûter la vie autrement. Avec gourmandise. D'autres montraient du dégoût, ou de l'anorexie envers l'existence. Les malheureux. Nous n'avions qu'une envie : profiter de nos trois enfants, de notre amour mutuel et de nos quelques amis. On a recommencé à sourire, puis à rire, puis à s'aimer avec la fougue de nos débuts. La tendresse et la fantaisie ponctuaient nos journées ensemble. On se laissait des petits mots un peu partout. Des « Je t'aime », des « Bisous », des « Hum, j'ai envie », des « Vivement ce soir ». Et toujours des haïkus. Elle y mettait beaucoup de profondeur, de spiritualité, et moi, je ne prenais pas les miens au sérieux. Ça la faisait râler.

Le miel sur ta peau
Que je lèche avec délice
Ma tartine à moi.

Mais finalement, ça la faisait sourire.

Ses larmes de chagrin comme des gouttes d'acide sur mon cœur, et ses sourires tel un baume apaisant. J'essayais de m'en tartiner à longueur de journée. Parce que ces sourires-là, ils étaient encore plus beaux qu'avant. On y voyait la cicatrice qui tirait et la victoire qu'ils signifiaient.

Marjorie était restée fidèle. Sa copine blonde, que j'appelais la poule rousse. À force d'écumer la bibliothèque de Suzie. Ça la faisait râler, mais de quoi se plaignait-elle ? J'aurais pu l'appeler la vache orange. Elle ne s'est jamais posée jusqu'à quarante-cinq ans. Papillonnage, coups de foudre, puis de blues. Marie épongeait. J'avais insisté pour qu'elles continuent à sortir ensemble. Je faisais la traite du soir, et Marie passait l'après-midi avec elle une fois par mois. Je pariais en la voyant partir qu'elle reviendrait avec la bouche pleine de critiques. Pas sur Marjorie, sur la ville. Je vérifiais le lendemain matin.

— C'était bien ?

— Oui, ça va… *(Silence…)* Si tu avais vu les gens

dans le bus, plus personne ne se regarde. C'est triste à mourir.

Gagné.

Et puis, Marjorie a fait un AVC. Sérieux, mais récupérable. Six mois de rééducation quotidienne. Suffisamment long pour que son orthophoniste tombe amoureux d'elle. Marie l'appelait le poulet fermier. Je n'ai jamais compris pourquoi. Veuf, deux enfants. Il se foutait des fesses qui tombent, des seins trop petits et du degré d'épilation pubienne. Il a dû aimer sa fragilité. Finalement, ça arrangeait bien Marjorie d'arriver dans une famille toute faite. Pas d'alien à porter. De toute façon, c'était un peu tard. Elles ont continué à se voir. Avec plus de profondeur. Marjorie avait changé de vie. Marie disait toujours que cet accident cérébral lui avait remis les idées en place. Elles partaient en balade derrière chez nous, allaient à la piscine, ou à la bibliothèque. Et Marie se sentait mieux. Elle ne supportait plus d'aller dans le centre-ville grouillant de monde. Des jeunes qui parlent fort et qui oublient de laisser leur place assise aux vieux – personne ne leur avait appris. Des SDF qui font la manche avec une bouteille d'alcool posée sur le trottoir – ça la rendait triste. Des gens tous plus fermés les uns que les autres. Des flics qui patrouillent en ville, matraque et flingue à la ceinture – elle pensait à moi –, scrutant le moindre comportement comme un délit potentiel. Elle était malade de lire les journaux à la page des faits divers tant ça lui paraissait impossible que le monde puisse tourner ainsi.

Finalement, j'étais comme elle. Allergique à l'horreur humaine, la bêtise, la méchanceté et toute la violence qui va avec. Elle, parce qu'elle en avait toujours été préservée, là-haut dans la montagne ; moi, parce que j'étais né dedans. Pourquoi la gendarmerie ? Pour faire comme Zorro, pensant protéger les braves gens des autres, les mauvais. Pour défendre les femmes de leur gros porc de mari, et les enfants des couteaux de cuisine. Et j'en ai vu des pauvres gosses comme moi, la terreur dans les yeux, quand on débarquait parce qu'un voisin avait signalé des cris. Je ne pouvais rien faire pour eux. Au diable, Zorro, ta cape et ton épée ! Tu ne pourras jamais empêcher les gros cons. La gendarmerie ? Pour gagner ma vie aussi, bien sûr. Mais j'aurais pu être maître-nageur, ou vendeur de voitures, ou éboueur. Ramasser les poubelles, tiens ! Moi qui, petit, me sentais comme un déchet dont personne ne voulait. Sauf Madeleine. Mais je ne serais jamais arrivé jusqu'à Marie en étant éboueur. Ni maître-nageur. À la rigueur, vendeur de matériel agricole. J'ai l'intime conviction qu'elle était celle qui m'allait comme l'escarpin de Cendrillon et que ma vie s'est déroulée pour que je la rencontre : Finalement, c'est grâce à mes parents que j'ai eu Marie. Sans leurs engueulades, pas de coup de couteau. Sans coup de couteau, pas de Madeleine. Sans Madeleine, pas de gendarmerie. Sans gendarmerie, pas de Jean-Raphaël. Sans Jean-Raphaël, pas de Marie. Et sans Marie, pas d'escarpin à mon pied.

Marie, mon escarpin. Si je dis ça à Antoine, il va encore me traiter de tapette. Marie, mon escarpin.

Elle qui marchait avec des talons comme une vache avec des échasses.

Marie, c'était ma princesse. Ma Cendrillon à moi. Et si je n'avais pas connu Marie, je serais peut-être resté seul toute ma vie. J'aurais fait mon p'tit boulot de flic blasé. J'aurais rempli des cahiers de dessins que personne n'aurait jamais regardés. J'aurais pris ma retraite pour laisser la place aux jeunes. Je serais mort d'une crise cardiaque sur mon canapé et on m'aurait retrouvé momifié trois ans après, parce que le nouveau facteur, un p'tit jeune en CDD, assez consciencieux pour espérer le CDI, aurait signalé qu'il n'arrivait plus à mettre de courrier dans ma boîte aux lettres tellement elle était pleine.

La foudre tombe rarement deux fois sur le même arbre. Je suis de ces chanceux qui sont au bon endroit au bon moment.

Outre Marjorie et Antoine, nous nous étions fait quelques amis dans les environs. Pas beaucoup, mais des bons. Comme le vin. On préférait ouvrir une bonne bouteille de temps en temps que de boire de la piquette à chaque repas. Nos deux couples d'amis, c'était des grands crus, qui, pour ne rien gâcher, se bonifiaient avec l'âge. On parlait de tout, de politique, de social, d'éducation. Isolés dans notre petit fond de vallée, nous n'en étions pas moins ouverts sur le monde.

L'ouverture s'est aussi faite avec mes vélos. J'ai mis une bonne année à baliser toute la zone. Marie a produit les dépliants avec les plans. Une vingtaine de VTT, et c'était parti. L'aménagement des bâtiments, pour les brebis et les chiens, nous a grevés d'une petite partie du budget. Avec le reste, nous avons racheté la maison dans le virage d'en bas. Celle des petits vieux qui n'avaient rien vu, rien entendu, à l'époque de Jean-Raphaël. Il fallait bien payer la maison de retraite, alors les enfants ont vendu. Marie en avait le cœur fendu de les voir partir ainsi, ils étaient si gentils, mais plus assez autonomes. Le monsieur ne pouvait plus marcher et sa femme était en train de devenir aveugle. Ce jour-là, Marie m'avait fait promettre de ne jamais la placer en maison de vieux.

— Mets-moi plutôt entre deux oreillers le jour où je deviens sénile et appuie bien sur celui du dessus.

J'avais promis même si je savais que j'en aurais sûrement besoin avant elle. Alors, on s'était dit qu'on ferait promettre aux enfants quand ils seraient en âge de le faire. Un par oreiller et un qui surveille que personne n'arrive, puisqu'on voulait mourir ensemble pour éviter le chagrin au survivant. On en parlait en rigolant, la dérision n'avait jamais tué personne.

On a regardé partir nos vieux voisins et Marie est allée les voir régulièrement, pour leur parler de leur maison, qu'on aménageait en gîtes ruraux, pour les loueurs de vélo et les citadins en mal de tranquillité, qui nous achetaient du fromage, de vache et de brebis. Mais jamais de chien. On exigeait une preuve. La présence d'un troupeau. Sinon, c'était les envoyer en enfer. L'enfer de l'ennui et de l'inactivité.

Nous avons regardé grandir nos enfants, soulagés de les voir socialement équilibrés. Avec des parents sauvages comme nous, il y avait de quoi craindre pour l'intégration de notre progéniture. Habituellement, les chiens font des chiens et les chats des chats. « Et les loups des loups, ou alors des agneaux », aimait-elle ajouter en me comparant à mon gros porc de père, et Antoine à sa fouine de mère. Mais non, je lui disais, puisque mon père n'était pas mon père et que j'avais décidé cette aberration généalogique en passant ma main sur son corps duveteux la première fois où nous avions fait l'amour. Son degré pileux déterminait mes origines. Et ça la faisait rire.

Nos trois enfants ont donc eu des amis d'enfance, comme tous les autres, des envies de partir à l'aventure, comme tous les jeunes. Nous étions fiers de leurs études, de leur parcours. Tous les trois ont choisi l'aide à l'autre. Suzie est médecin, Joseph éducateur, et Zoé institutrice. Nous étions satisfaits des valeurs transmises. Et plus encore de les savoir dans la région. Aucun à l'autre bout de la France ou du monde. Suzie avait cependant besoin de rester très proche, malgré un début d'adolescence chaotique, marqué par la levée du voile secret sur ses origines. Un après-midi d'été, l'année de ses douze ans. Joseph était à un anniversaire, Zoé dans son lit pour la sieste, Antoine avait mangé avec nous. C'est Marie qui le lui a annoncé. Suzie a regardé Antoine, m'a regardé et s'est mise à hurler qu'on était des salauds de lui avoir caché ça, et qu'elle pensait qu'il était mort. Marie et Antoine en ont pris pour leur grade, parents indignes, égoïstes, qui n'ont pas pensé à son bonheur à elle, et moi, j'ai été accusé de complicité. Et puis, elle est partie en courant. Marie est montée chercher Zoé, réveillée par les cris, Antoine est resté collé les fesses sur la chaise. Une statue de marbre qui allait bientôt pleurer du sang. Je lui ai empoigné l'épaule et je suis parti à la poursuite de Suzie. Nom de Dieu, elle courait vite ! Elle est montée jusqu'à l'observatoire et m'a crié de loin qu'elle ne voulait plus parler à personne. J'ai donc usé de mon ancienne expérience de flic et de quelques bribes de négociation qu'on nous avait inculquées. Assis en contrebas, j'ai attendu que le plus gros de l'averse s'éloigne. Je me suis approché progressivement, sans toutefois franchir son périmètre de sécurité.

— Tu aurais voulu quoi ?

— Qu'on me dise la vérité.

— Tu en aurais compris quoi ?

— …

— Rien. Tu te serais posée des questions aussi.

— Et alors ?

— Et alors, je crois qu'ils ont eu raison. Et même si ce n'est pas le cas, la situation est celle-ci. Les parents se trompent parfois. Mais les tiens ont toujours cherché le meilleur pour toi. Tu ne peux pas leur reprocher ça. C'est même une chance. Tout le monde ne l'a pas. Je sais de quoi je parle.

— Tu ne sais pas ce que c'est que de découvrir qu'on t'a menti pendant douze ans.

— On ne t'a pas menti pendant douze ans, on t'a préservé d'une vérité trop complexe pour toi, pour ne pas t'enlever la joie et l'innocence d'une petite fille. Et je ne sais pas ce qu'on ressent quand on ment pendant douze ans, mais je sais ce qu'on ressent quand on a des parents odieux et méprisants.

Je lui ai ensuite parlé de l'araignée, des châtiments, du coup de couteau, de l'abandon. Et de la joie que j'avais eu à la voir grandir à l'opposé de tout cela.

C'est elle qui est entrée dans mon périmètre de sécurité pour mettre ses bras autour de mon cou.

Il lui a fallu quelques semaines pour avaler, faire remonter, ruminer, ravaler, re-ruminer pour enfin digérer la nouvelle et retrouver une relation épanouie avec ses parents. C'était moins reposant pour ma conscience que de regarder les vaches en faire de même. Celles-ci ne ruminaient pas douze années de mensonge. Juste du foin. D'ailleurs, ça valait toutes les séances de sophrologie prénatale qu'on avait proposées à Marie. Asseyez-vous en face d'une vache qui rumine, je ne vous donne pas un quart d'heure avant d'être hypnotisé.

À vingt ans, Suzie s'était mise en couple avec Louis, son amoureux de la maternelle, qu'elle avait retrouvé un soir de fête des jeunes conscrits. Il s'étaient rappelés leur promesse de cour de récré, ça les avait émus, puis engendré un petit Quentin. Deux ans après, ils avaient réalisé que cette promesse de cour de récré, aussi charmante soit-elle, ne constituait pas un socle solide et déterminant pour l'avenir. Ils sont restés en bons termes. C'est là que Suzie s'est installée avec Quentin dans un des gîtes des rien-vu-rien-entendu.

Joseph et Zoé ont eu respectivement deux et trois

enfants. Caroline, Paul, Simon, Sarah et Apolline. Marie n'a pas eu le temps de connaître les deux dernières.

Suzie visait le cabinet du docteur Meyer, le médecin du village, qui allait prendre sa retraite quelques années plus tard. Trop attachée à sa vallée, elle n'imaginait pas sa vie ailleurs. Elle faisait des remplacements en attendant.

Le docteur Meyer venait régulièrement voir Marie, une fois par an. Il savait qu'elle ne viendrait pas à lui. Il avait obtenu d'elle qu'elle fasse quand même une mammographie par an à partir de ses quarante ans.

À cinquante-huit, le couperet tombait.

Nodule suspect.

Biopsie.

Cancer.

— Tu crois que j'aurais dû me les faire couper à quarante ans ? m'avait-elle demandé.

Je ne pouvais même pas l'imaginer. Mutiler ainsi une femme, ma femme, par simple précaution ! Et si le cancer n'était pas inscrit dans ses gènes ? Comme un condamné qu'on exécuterait alors qu'il est innocent.

Mais il était inscrit.

De toute façon, Marie n'avait pas voulu en entendre parler. Elle avait besoin de ses petits seins. Point.

S'ensuivit une longue discussion avec Suzie. Marie voulait tout savoir. Les traitements, les opérations, les conséquences, l'espérance de vie. Je les avais laissées entre elles. Impossible pour moi d'entendre tout ça. Marie, ma Marie, avec un cancer dans le sein. Suzie en avait vu des cas, durant ses études, ses stages, ses coups de scalpel et ses feuilles de soin. Elle en avait coupé des seins, curé des ganglions laissant certaines femmes avec le bras presque ballant tant la douleur de le lever restait vive. Elle avait reconstruit des poitrines, en allant prélever de la peau dans l'intérieur de la cuisse, pour retrouver une couleur cutanée proche de l'aréole. Un peu de silicone et on vous fabriquait une nouvelle femme. Le résultat pouvait être assez spectaculaire. Mais Suzie savait que ce n'était jamais pareil qu'avant. Jamais. Elle savait les écouter, ces femmes survivantes, quand elles survivaient. Elle connaissait par cœur les statistiques, les stades à passer. Un an. Trois ans. Cinq ans. Si elles vivaient encore au-delà, c'était déjà pas mal. Mais elle savait aussi que le cancer se guérissait de mieux en mieux, et que de plus en plus de femmes s'en sortaient, retrouvaient une vie normale. Même si on ne parlait pas de guérison, mais de répit. De rémission. Pourquoi ce terme désigne-t-il aussi le pardon que l'on fait à un coupable ? Marie était-elle coupable ? Coupable de quoi ? D'être la fille de sa mère ? De n'avoir pas voulu se séparer de ses seins ?

Suzie savait qu'à sa maman, on proposerait une ablation bilatérale, avec curage ganglionnaire important du côté atteint, chimiothérapie, et tous ses effets secondaires, peut-être de la radiothérapie. Ça, c'était s'il n'y avait pas déjà des métastases…

Nous étions ensuite venus en parler ici, dans notre petit coin, longuement.

— T'en penses quoi ?

— J'en sais rien, Marie, j'en sais rien.

— Tu m'imagines, sans seins, sans cheveux, sans énergie, sans même pouvoir lever le bras ?

— Je t'aimerai autant.

— Et comment je fais pendant tous ces traitements ? Quatre ou cinq opérations, des chimios régulières…

— On peut prendre un petit appartement, près de l'hôpital.

— Et mes vaches ?

— On s'en occupera. Moi, Antoine. On peut prendre un vacher, le temps qu'il faudra. Ou arrêter. Tu es proche de la retraite, après tout.

— Et les petits ? Je ne les verrai presque plus.

— Ils viendront te voir.

— Tu voudrais que je le fasse ?

Je ne veux rien, Marie, je veux t'accompagner, comme je peux.

— Et si je ne fais rien ?

— Si tu ne fais rien ?

— Si je laisse évoluer le cancer, sans traitement, sans opération. Si je continue à vivre comme s'il n'était pas là ?

— Que t'a dit Suzie ?

— Qu'on avait peu de recul. Personne n'ose. Ça fait peur, le cancer. Les réfractaires n'entrent pas dans les statistiques.

— Ça veut dire que tu risques de partir plus vite.

— Peut-être.

Je me suis senti mal. Je prenais subitement conscience du danger de la perdre. Sans savoir si ce serait dans trois mois, un an, trois ans, cinq ans, ou plus. Même avec tous les traitements, cinq ans, c'était déjà bien. Alors, sans…

Mais je savais aussi que pour Marie, entrer dans l'engrenage l'achèverait à petit feu. Plus de vache, plus de ferme, plus de quotidien auprès des siens. Des jours et des jours de douleurs, d'enfermement dans des hôpitaux qu'elle exécrait. Mon chêne bien ancré dans sa montagne qu'on déracinait pour le mettre en pot, au chaud, à l'hôpital. C'était impensable pour elle. Et c'est vrai, pour moi aussi. Je n'avais envie de la laisser à personne. Au cancer, non plus.

— Je serai là, quelle que soit ta décision.

— Alors, je ne ferai rien.

Les quelques semaines qui ont suivi ont été difficiles à vivre pour tout le monde. Je partais en forêt sur mon VTT pour pleurer. J'avais dit que je serais là pour elle. Pour la soutenir, pas pour me lamenter sur son sort, du moins pas sous ses yeux. C'est pour Suzie que ce fut le plus difficile à admettre. Elle qui savait ce que le cancer était capable de faire. Elle ne comprenait pas que sa maman ne se laisse pas au moins une chance de guérir. Ah non, la guérison n'existait pas. Mais elle ne comprenait pas non plus à quel point partir, quitter la ferme était inenvisageable pour Marie.

C'est Antoine qui lui a expliqué. Il connaissait Marie mieux que personne. À part peut-être moi. Mais c'était son père. Elle a fini par accepter.

Et la vie a pris un autre virage encore que celui engagé après la mort d'Uriel.

Je ne savais pas combien de temps j'avais encore à passer avec Marie, alors j'ai considéré que chaque jour serait le dernier. Nous parlions d'avenir, mais profitions de chaque instant. Nous changions notre programme pour profiter du rayon de soleil inattendu. Nous mettions de la fantaisie dans tous nos gestes quotidiens, et de l'attention dans tous les plaisirs qu'on avait oublié de relever jusque-là.

J'ai quand même obtenu de Marie qu'elle lève un peu le pied. En roue libre jusqu'à la retraite. J'étais là, bien conservé, capable de prendre le relais. Nous avons donc réduit le troupeau, arrêté les marchés, je continuais les chiens et les VTT. Elle a tenu six ans. Six ans à manger des légumes, boire du colostrum de ses vaches, continuer ses activités et profiter de ses petits-enfants. Six ans de bonheur pour moi. Du rab. Comme les frites à la cantine pour un gamin de douze ans : une joie simple. Parce qu'elle est inattendue. Du rab de

Marie que je boulottais avec gourmandise, sans trop penser à la diète cruelle et brutale que la vie allait m'infliger. Je la boulottais comme les fraises chaudes du jardin au mois de juillet, je la boulottais au propre comme au figuré. Parce qu'elle était toujours attirante. Ses seins tombaient un peu ? Et alors ? Moi aussi, j'avais des choses qui commençaient à pendouiller avec l'âge. Nous faisions l'amour moins souvent, avec moins de fougue, mais plus de tendresse. Et puis, pour moi, l'avoir dans mes bras, la voir sourire, lui dire « Je t'aime », lui caresser la nuque, c'était comme de lui faire l'amour.

Je l'admirais, plus que jamais, pour son courage, sa détermination, son détachement. Nous avons longuement parlé d'Uriel. Il l'aidait à accepter. Elle savait qu'il l'attendait quelque part. Elle comprenait mieux Madeleine qui n'avait pas peur de la mort. Marie n'avait pas peur. Elle était triste de nous laisser, mais elle n'avait pas peur.

Suzie s'est installée à la suite du docteur Meyer. Il est devenu le médecin privé de Marie. Comment Suzie aurait-elle pu prendre la suite pour les soins de sa mère ? Cette période a coïncidé avec le début de sa dégradation. Marie commençait à avoir mal un peu partout, à la tête, dans le dos, dans le ventre. Et puis, une fatigue terrible. Suzie se doutait bien. Les métastases…

Le médecin a prescrit des antidouleur, d'autres anti plein de choses, pour l'aider à surmonter les effets secondaires de son cancer qui devait probablement se généraliser.

Antoine lui a fabriqué une petite carriole avec des suspensions de son vieux tracteur, pour que je puisse l'emmener en balade, accrochée derrière mon vélo. Et puis, quand elle a commencé à ne plus pouvoir marcher, je l'ai portée, partout où je pouvais. Dans l'étable quand je paillais les vaches, à notre petit coin au-dessus de la ferme, dans sa chambre, quand elle voulait se reposer. Bien calée sur deux balles de paille au pied du champ où j'entraînais les chiens avec notre vingtaine de brebis. Je ne lui dessinais pas un mouton comme Saint-Exupéry pour *Le Petit Prince,* moi, je lui dessinais des choses en mouton. Il me suffisait de trois chiens bien dressés pour lui faire un cœur avec une quinzaine de brebis. Ça la faisait rire.

Elle avait perdu pas mal de poids et ne pesait plus que trente-cinq kilos. Ses petits seins avaient fondu et ses deux tétons ressemblaient à des chapeaux de bonhomme de neige retombés sur le sol après le redoux. Sous son nombril, le chocolat avait disparu depuis longtemps.

Elle lisait des livres sur la mort, comme si elle préparait un examen de passage. Elisabeth Kübler-Ross, l'accompagnatrice, et d'autres gens, témoins de leur *near death experience.* Je lui demandais si ça l'aidait.

— Les femmes enceintes lisent bien des livres sur l'accouchement…

J'ai pris soin d'elle comme on prend soin d'un enfant malade. En essayant de lui fournir chaque petit plaisir qui améliorait son quotidien. Changer les draps, boire de l'eau fraîche, aller regarder les couchers de soleil dans notre petit coin. Elle me remerciait pour tout cela comme si c'était exceptionnel.

Et puis, elle a décliné rapidement. Est devenue jaune. Le foie, me disait Suzie. Quand le foie est pris, ça ne dure plus très longtemps. On a parlé, parlé, parlé. Elle était ralentie, mais comprenait encore ce que je lui disais. Qu'y avait-il à comprendre ? Tout se résumait en un seul mot. Je l'aimais. Je voulais qu'elle le sache. Qu'elle sache avant de partir qu'elle avait été la chance de ma vie, la femme de mes rêves, qu'elle m'avait inventé la plus jolie des galaxies, même si une des étoiles était à des années-lumière de nous. Qu'elle m'avait recueilli comme un moineau blessé et fait de moi un aigle. Qu'elle était ma foudre, mon escarpin, ma princesse. Elle mettait sa main sur ma joue et me souriait doucement.

Elle a voulu nous voir réunis encore une dernière fois. Suzie, Joseph, Zoé, Antoine et moi. Pour boire du champagne avec elle. Et lui souhaiter un agréable voyage. Le lendemain, elle n'était plus consciente. Le docteur Meyer est venu pour qu'elle ne souffre pas. Zoé et Joseph sont repartis dans leur famille, pour se préserver de cette mort imminente qui les bouleversait trop. Pour aller parler de Mamimarie à leurs enfants qui demandaient après elle. Suzie est restée avec moi. Antoine est rentré chez lui. Dévasté.

La dernière nuit, j'ai dormi à ses côtés. Sa respiration était faible. Quand je l'ai sentie s'agiter, j'ai su que c'était le grand passage. Elle l'avait lu dans ses livres. Je l'ai portée jusqu'à notre petit coin et je l'ai gardée dans mes bras.

Elle s'est éteinte à cinq heures du matin, quand le jour s'allumait. L'heure de la traite. J'ai hurlé son prénom pour le graver sur les roches orange de soleil, en face de nous. Et j'ai regardé le jour se lever. Marie à tout jamais endormie.

Suzie est venue s'asseoir à côté de nous, effondrée.

Je me suis penché vers elle et je lui ai chuchoté :

— Maman, c'est comme Jésus sur la croix, elle va revenir, mais on la verra pas.

Elle m'a souri au milieu des larmes et l'a embrassée sur le front.

J'étais assis là, exactement comme aujourd'hui.

Quand je viens ici, je suis avec Marie.

Au cimetière, après que tout le monde soit parti, j'ai vécu la même sensation qu'avec Madeleine.

Force dix.

L'appel du vide, comme au pied d'une falaise. Cette fosse devant moi, profonde et sombre, était un trou noir dans notre galaxie, dans lequel je me sentais irrémédiablement attiré, pour être à jamais englouti. J'avais promis à Matie de ne pas faire comme sa mémé, de relever la tête, la sortir de l'eau et la garder haute, mais les forces en présence semblaient plus vives que mes maigres promesses de mec hypersensible. Antoine m'a attrapé l'épaule, m'a retourné contre lui et m'a serré dans les bras. C'était la première fois. Et j'ai compris. J'ai compris pourquoi il était le père de Suzie, pourquoi il était le meilleur ami de Marie, son confident, son psy, son matelas moelleux pour les soirs de chagrin. Il était son Amma. Vous savez, cette Indienne qui a déjà pris vingt-six millions de personnes dans ses bras, parce qu'elle a de l'amour à revendre. Sauf que personne ne faisait la queue devant chez Antoine pour être pris dans ses bras. Mais c'est parce qu'ils ne savaient pas qu'il existait, bien caché au fond de sa vallée de montagne. Sinon, il y aurait une file de fidèles jusqu'à la mer du Nord.

Ses vingt-trois paires de chromosomes originels avaient dû piller toute l'humanité de son ascendance pour élaborer un type aussi généreux. Ou alors, c'était une tumeur sur la glande de l'empathie, si elle existe, ou un miracle religieux, si on y croit. C'est cette force-là, cette tendresse généreuse et inexplicable qui m'a permis de tenir ma promesse et de ne pas mourir de chagrin.

Quelques mois après le départ de Marie, Antoine recevait, lui aussi, un courrier d'un notaire du Cantal.

Son père était mort et lui laissait un lourd héritage… Sa mère ! Il avait en effet mis à exécution sa menace, en vendant sa ferme. Ils étaient partis habiter dans un petit logement du bourg, et son père s'était appliqué à dépenser tout l'argent du couple jusqu'au dernier sou. En alcool, tournées générales et, d'après certains, en faveurs auprès de celles qui lui faisaient oublier sa femme. Celle-ci n'ayant aucun statut, à la mort de son mari, elle se retrouvait sans argent et sans pension de retraite.

L'assistante sociale et le notaire se sont donc tout naturellement tournés vers son unique fils, faisant valoir l'obligation de soin envers les ascendants. Deux solutions s'offraient à lui : payer une maison de vieux ou la prendre chez lui. Son statut de retraité agricole ne lui permettant pas le premier, il avait opté, contraint et forcé, pour le deuxième, ce qui, évidemment, s'apparenta à un cauchemar que son sommeil n'aurait même pas osé lui infliger. Elle était aigre, autoritaire et méchante. Non contente de lui pourrir la vie, elle y prenait, en sus, un malin plaisir. Car si elle ne pouvait plus marcher, elle avait toute sa tête, et la perfidie qui la caractérisait n'avait souffert d'aucune détérioration. Mais elle est arrivée au mauvais moment dans la vie d'Antoine. Car le départ de Marie ne lui permettait plus de supporter ce genre de brimade psychologique. Non que la vengeance l'ait inspiré, mais il ne l'acceptait plus.

Il l'installait dans un fauteuil à la cuisine, branchait la télé, lui mettait un repas à disposition sur la table et venait ici pour la journée. Pour les soins matin et soir, il laissait faire les infirmières et leur offrait des chocolats à Noël et à Pâques, pour compenser. Ou compatir. S'excuser de leur infliger ce fardeau, dont il n'était pourtant pas responsable.

Quand elle a commencé à gueuler la nuit pour l'insulter, il est venu dormir ici. Antoine avait depuis longtemps franchi à l'égard de sa mère le cap des remords, de l'indignité et du devoir, pour naviguer enfin dans une mer calme et apaisée, loin de toute culpabilité et libre de tout sentiment filial induit par la bienséance collective d'une société qui ignore qu'aimer ses parents n'est pas un devoir absolu. Les infirmières ne l'ont pas jugé. Au contraire, elles comprenaient sa fuite et son indifférence, car sa mère appartenait à la catégorie de ces gens qui, touchés par on ne sait quelle réincarnation maléfique, ont passé leur vie entière à pourrir celle des autres, et, tel un mauvais vin en bouteille plastique, virent au vinaigre au fil des ans. Car, ne pouvant s'en prendre à son fils, elle s'est rabattue sur ces pauvres filles pourtant dévouées à la cause gériatrique, en se montrant d'une rare méchanceté envers elles, qui, face à ses comportements abjects, se consolaient en mangeant du chocolat.

Quand un matin, il l'a retrouvée raide dans son lit, il s'est senti soulagé. Et triste, non d'avoir perdu sa mère, mais de ne pas en avoir eu une autre.

Quand il s'est aperçu qu'il pouvait réintégrer sa maison, redevenue agréable, il a pris conscience qu'il n'en avait pas envie. Moi, non plus. Il a donc vendu son exploitation, a rapatrié ses quelques vaches allaitantes ici, gardées pour satisfaire ses besoins carnés, a acheté un petit chalet en bois qu'il a monté un peu en amont de la ferme. Il ne voulait pas que ça jase au village. Moi, je m'en fichais. Mais je crois que le regard des autres n'était qu'une excuse pour ne pas admettre qu'après une vie de solitude, on ne pouvait plus s'adapter à celle d'une collectivité, même si celle-ci se partageait avec un ami.

On s'est aménagé un espace à l'entrée de la ferme, plein sud. Un grand banc contre le mur de pierre, comme deux lézards au soleil.

Suzie nous appelle Statler et Waldorf, comme les deux vieux du *Muppet Show*. Son fils évoque plutôt *Astérix en Corse*. Nos trois vieux chiens vautrés à nos pieds participent au tableau, ouvrant à peine un œil quand une voiture arrive. On joue aux échecs, ou on renseigne les touristes à vélo.

Et on parle de Marie.

Aujourd'hui, Suzie m'apporte le livre qu'elle a fait publier à compte d'auteur, avec une partie de l'argent que sa mère avait déposé sur un livret à son nom en recevant l'héritage. Pendant six mois, après l'enterrement, j'ai illustré tous ses haïkus, ceux qu'elle créait en salle de traite et qu'elle notait dans le petit calepin, tant apprécié des mouches.

— Il restera une trace. De son cœur et de tes mains, m'a dit Suzie.

Mon cœur à moi a mis plus d'un an à trouver celui qui serait son épitaphe.

Je sais désormais, avec certitude, du haut de mon petit observatoire, en voyant arriver les enfants pour le déjeuner, qu'on ne me retrouvera jamais momifié sur mon canapé trois ans après ma mort, parce que j'ai trouvé ma reine d'Égypte et qu'elle m'a fait pharaon.

Dans tes yeux d'amour
Majesté de ces montagnes
Et la divine lumière.

MERCI…

À Emmanuel, l'homme que j'aime et qui m'accompagne, tel le phare en bord de mer. Que celle-ci soit calme ou tempétueuse, il est là, debout, solide, guidant…

À André, mon père, qui m'a transmis ce plaisir d'écrire et me soutient sans faille, depuis toujours, dans mes projets de vie…

À Gabrielle, ma mère, qui en faisait de même et qui, d'aussi loin qu'elle soit, doit être fière de moi…

À toutes celles et tous ceux – je ne pourrais pas tous les citer – qui ont pris le temps de me lire et qui m'encouragent dans cette belle aventure…

À Émilie, particulièrement…

Aux filles du « groupe lecteur » pour leur tendre bienveillance…

À Olivier, soudainement improvisé « grand frère littéraire », pour ses précieux conseils et son accompagnement *über* généreux, distrayant et rassurant…

Aux membres du comité de lecture, qui ont lu et évalué mon roman. Ils étaient les premiers à me lire sans me connaître. Leurs appréciations m'ont beaucoup touchée…

À Isabelle, pour son professionnalisme et son discours apaisant dans cet « accouchement » émotionnellement intense, et surtout pour sa patience, à plus d'un titre…

À mon éditeur, Jean-Laurent Poitevin, qui réalise là l'un de mes rêves les plus incroyables. Je lui en suis infiniment reconnaissante.

Merci enfin à la vie, au destin, à cette petite lueur d'espoir qui, après le néant, m'a permis de me relever et de poursuivre mon chemin. Je sais désormais qu'une force vive m'escorte, veille sur moi, et qu'elle n'est pas étrangère aux jolies choses qui m'arrivent. Je soupçonne même un petit ange d'être aux manettes…

Mise en pages
PCA-44400 Rezé

Achevé d'imprimer en Espagne
par Liberduplex
en mai 2012

POCKET - 12, avenue d'Italie - 75627 Paris Cedex 13

Dépôt légal : juin 2012
S22606/01